KB096267

그 남자의 방

2
그 남자의 방

그 남자의 방

머리말

오래전 표제작과 동일한 제목의 단편으로 등단을 하였다. 하지만 본격적으로 소설을 쓰기 시작한 건 그후로도 한참 시간이 흐른 뒤였다.

그렇다면 글과 나도 '시절 인연'이 아닌가 싶다. 때가 돼서야 만나고 무르익는.
이 작품집에도 역시 사랑과 기억, 배반과 아픔이라는 마음의 풍경이 스며들어있다.
그렇다면 일종의 연작일 수도 있는데, 꾸준히 쓴다는 보장이 없어 매번 단행본 형식으로 내고 있다.

우리가 사랑이라 부르는 것의 실체는 뭘까? 자주 생각하게 되고 많은 의문을 갖게 하는 물음이다. 그만큼 사랑 속에는 인간의 에고와 타인을 향한 바람이 공존한다는 말이 될 것이다. 이런 자기 모순적 속성이 가장 잘 드러나는 것이 우리가 바로 '사랑'이라 부르는 것이 아닐까 싶다.

  글에 대한 취향은 저마다 달라서 역사니 철학, 이데올로기 같은 거대 서사를 좋아하는 이가 있는가 하면, 소소한 일상에서 출발하는 작은 이야기를 좋아하는 이도 있을 것이다. 나의 책은 아마도 후자에 어필하지 싶다. '크고 웅장한 것에 대한 태생적 불신'을 갖고 있어서기도 하고 그런것에 워낙 둔감한 까닭이다.

지은이

박순영

소설가, 리뷰어, 전 방송작가

소설집〈음언의 사랑〉〈페이크〉외 다수
장편소설 〈가브리엘의 오보에〉
독서에세이〈연애보다 서툰 나의 독서일기〉

'

외 다수

대학과 대학원에서 영어, 비교문화 전공

차례

머리말 4

지은이 6

그 한마디 8

슬픈 이사 22

멀리서 돌아온 남자 36

환한 어둠 47

금지된 사랑 56

그 남자의 방 66

닫힌 문77

내 마음의 도둑 91

판권 101

그 한마디

"저 인정이예요"라는 전화 너머 자신을 밝히는 여자의 목소리를 은원은 한참 기억해내야 했다....인정....인정...아, 그 강인정.

10년도 더 지난 시절의 그 인연이 아스라이 떠올랐다. 은원은 반가움보다는 그 시절 그닥 친분도 없던 그녀가 어떻게 자기를 기억해내고 전화번호까지 알아냈는지가 궁금했지만 그래도 옛 동료였기에 그럴 수도 있다는 생각에 반가운 듯 받아주었다.

"아 인정씨...결혼은 했구?"라는 은원의 질문에 상대는 한참 뜸을 들이더니 "저기..오랜만인데 이런 말하기..돈 좀 있어요?"라며 인정은 10년 만에 연락이 닿은 은원에게 돈 이야기를 불쑥 꺼냈다

이 여자 뭔가,라는 생각에 은원은 곧바로 전화를 끊고 싶었지만, 비록 살가운 사이는 아니었어도 인정이 솜씨 있게 타다 준 커피를 여러번 얻어 마신 기억이 스쳐 차마 그럴 수가 없었다

"돈...나도 빠듯하게 살아요"
"그죠? 미안했어요" 인정이 전화를 끊을 태세다.
"밥 한번 먹어요"라고 은원이 으레 하는 말을 하자 저쪽은 기다렸다는 듯이 반색을 하며 "제가 밥 살게요"라고 했다. 돈을 꿔달라고 하면서 밥을 산다는 건 뭔지...

그 주말, 은원은 인정을 만나러 도심으로 향했다. 혹시나 도심 집회라도 걸리면 안 된다는 생각에 조마조마했지만 도심은 생각보다 한산했다. 그렇게 커다란 아트홀 옆 s까페에서 둘은 마주했고 인정은 10년 전과 별로 달라진 것 없이 여전히 청초하고 조금은 파리해 보이기도 하였다. 저 여자가 연애를 했었어...라는 생각이 은원을 스쳐갔다.

그 남자의 방

인정은 같은 편집부 기자 a와 조용한 사내 연애를 하였다. 수줍음이 많고 숫기가 없어 그런 일 따위는 못 할 거 같아 보였지만 인정은 분명 a와 사귀고 있었고 둘 다 나이도 있고 하니 조만간 결혼하려니 다들 그렇게 생각하였다. 하지만 회사가 어려워지면서 직원들은 뿔뿔이 흩어지게 되었고 그렇게 은원도 출판사를 나와 알음알음 방송일을 하게 되었다.

퇴사도 제각각 시기가 달랐어서 서로의 안부를 묻고 말고 할 것도 없이 그렇게 서로가 과거의 사람들이 돼 버린게 10년이다. 그런데 그 시간을 훌쩍 뛰어넘어 인정이 연락을 해 온 것이다. 그것도 돈 얘기를 꺼내면서.

괜히 이 자리에 나왔나 하는 후회가 일었지만 은원은 자리를 물릴 수도 없고 솔직히 반가운 마음도 들어 인정을 따라 나란히 레몬에이드를 주문해 마시기 시작했다.

올 여름도 한 더위 할 거 같아요 그죠?"

은원이 에이드를 한모금 마시고 말을 하자

"미안해요. 오랜만인데 돈 얘기를 해서"라며 인정은 본론으로 들어갈 태세다.

"결혼은, 했어요? 그분이랑?"라며 은원이 a를 언급했지만 인정은 배시시 웃고 만다. 아, 안됐나보다...하는데

"안 그래도 우리 은원씨 얘기 자주 해요"라고 그녀가 말을 받았다.

그럼 a와 여태 결혼은 안하고 여전히 연애 상태라는 건가,라는 생각이 들자 은원은 더더욱 궁금해졌다.

"왜 결혼은?"

"저기...한 1000만 안 될까요? 여기저기서 빌리고는 있는데"라며 인정이 목이 마른 듯 자신의 잔을 비우고 다급하게 물었다

돈 1000 정도의 여윳돈은 은원에게 있었지만 이런 식으로 10년 동안 연락 한번 없던 사이에 건너갈 액수는 아니라는 판단이 서자 은원은 이 자리에 나온 게

후회가 되었다.

 "제가 좀 염치가 없죠? 사실 우리가 가까운 사이도
아니었는데"
 "어디, 쓸 건지 물어봐도 돼요?"
 "그 사람 사업이 어려워요. 그림 수입하는 일을 하는
데 그게 요즘 영..."하며 그녀가 자신의 빈 잔을 두 손
으로 감쌌다.

 여태 결혼도 안 했으면서 남자의 사업 자금을 대고
있다는 게 은원은 어딘가 석연치가 않았다.
 은원은 당장 그 돈이 있다 없다 말한다는 게 내키지
않아 "구해볼게요"라고 하고는 인정과 헤어져 도심을
걸었다. 초여름이었지만 뜨거운 지열이 느껴졌고 여간
더운 날씨가 아니었다. 계속 손수건으로 얼굴의 땀을
닦아가며 전철역까지 갔을때, 누군가 뒤따라 오는 느낌
이 들었다. 그녀가 기척을 느끼고 돌아보자 인정이 울
상이 다돼서 여태 자신을 따라오고 있었다. 급하긴 급
한가 보구나...

둘은, 다시 b여행사 1층의 까페로 들어가 마주 앉았다.

"1000이 어려우면 그 반이라도"라고 말하던 인정이 갑자기 두 손으로 자기 얼굴을 감싸고 흐느끼기 시작했다.

그런 인정을 보고 있자니 은원은 이게 무슨 상황인지 판단이 서질 않았다.

"줄게요 1000"이라는 말이 자기도 모르게 튀어나왔고 은원은 곧이어 후회를 하였지만 이미 내뱉은 말이라 주워 담을 수도 없었다. 그 말에 인정이 흐느낌을 멈추더니 한 손으로 눈물을 훔쳤다.

"그 사람 결혼했어요"라는 인정의 말에 은원은 들고 있던 커피잔을 둔탁하게 테이블에 놓아버렸다.

"그러더라고요..."

"무슨 말예요?"

"퇴사하고 그 사람은 대학 선배가 하는 인터넷신문으로 들어갔어요. 저는 신촌에서 작게 악세사리샵 하는 아는 언니 밑에서 일했는데... 퇴근하면 매일 그가 왔어요. 내가 퇴근할 때까지 일을 거들고 셔터를 내려주고 같이 늦은 저녁을 먹고...."

"..."

"그러다 일주일 해외 출장이 잡혔다고 했어요. 그리고는 일주일을 만나지 못했는데 그때 결혼을 했더라고요..저도 나중에 알았어요..."

"세상에...나쁜 자식"이라고 은원이 발끈하자 "그러지 말아요"라며 그녀가 강하게 a를 방어하고 나섰다.

"그런 남자 돈을 왜 구하러 다녀요 인정씨가? 인정씨 바보예요?"

"집안에서 강제로 시킨 결혼이래요"

"그 말을 믿어요? 인정씨한테는 출장 간다고 해놓고 다른 여자랑..."

"돈은 갚을게요"라는 인정의 갈무리에 은원은 더이상 자신이 끼어들 틈이 없다는 걸 알고는 입을 다물었다.

그리고는 그 자리에서 돈 1000을 인정의 계좌로 이체하고 "꼭 갚아 주세요"라는 말을 하고 먼저 까페를 나섰다. 도심 거리엔 어둠이 내렸고 줄지어 서 있는 가로등에도 불이 다 들어와 있었다. 인정의 사랑, 저런

그 남자의 방

걸 사랑이라 불러도 되는건가, 하는 생각에 은원은 허탈해져 무작정 걷고 싶어졌다.

이후 인정에게서는 연락이 없었고 돈을 갚기로 한 시기가 돼도 감감무소식이었다. 은원은 힘들게 돈 1000을 단념하였다. 그리고 그 돈을 계속 신경 쓸 수도 없었던 게 힘들게 미니 시리즈를 쓰게 되었기 때문이다. 그렇게 1년의 시간이 또 흘렀다.

다시 인정의 전화를 받은 건 마지막 회차 원고를 넘기고 오랜만에 깊은 잠에 빠졌을 때다. 꿈결에 울린 전화벨에 은원은 원고수정을 요하는 pd의 전환 거 같아 짜증이 일었지만 발신자를 보고는 헉, 하고 숨이 멎는 것만 같았다. 인정의 전화였다. 1년만에 , 것도 돈을 돌려주지도 않은 상태에서 그녀가 전화를 해왔다는 게 너무나 뻔뻔스럽게 여겨져서 그녀는 전화를 무음 처리하고 받지 않았다. 그리고는 종일 잠의 늪에 빠져버렸다...

그리고는 한밤중에 일어나서 전화를 열어보자 인정에게 걸려온 부재 전화가 여러 통 있었고 그중에 음성을

남긴 게 있어 그녀는 가물거리는 소리샘 비밀번호를 기억해 인정의 메시지를 들었다

"죄송해요. 약속 지키지 못해서...그때쯤 호주 거래처에서 돈이 들어오기로 돼 있었는데 그게 좀 꼬여버려서...그래도 전화는 드렸어야 하는데, 그렇게 양해를 구했어야 하는데"라며 인정은 호소하듯 장문의 음성 메시지를 남겼다.

그녀의 변명같은 긴 메시지를 다 듣고 있을 필요가 없어져 은원은 중간에 끊어버렸다. 그러다 혹시 모른다는 생각에 자신의 은행 앱을 열어봤다. 그 안에 돈 1100만원이 인정으로부터 입금돼 있는게 눈에 띄었다. 10%씩이나 이자를 얹어준 것을 어떻게 해석해야 할지 몰라 은원은 심란해졌다...하지만 일단 돈은 되돌아왔다.. 그것도 포기한 돈이. 이걸로 됐다는 생각이 들어 그녀는 인정에게 "고맙습니다"라고 정중하게 메시지를 보냈다. 그러고나자 인정의 기구한 연애사가 불쌍하게 여겨졌고 도둑장가를 가버린 a가 앞에 있다면 따귀라도 갈기고 싶어졌다. 그래놓고도 인정을 교묘히 이용하고 있다는게 여간 불쾌한 게 아니었다..

그 남자의 방

하지만 그것은 어디까지나 그들의 '개인사'였고 자신이 참견할 일은 아니라는 생각에 이 일은 이걸로 종결 짓기로 하고 은원은 읽다만 c의 소설을 마저 읽기로 하였다. 그렇게 파트 4에 들어갔는데 전화벨이 울렸다. 아마도 자신의 '고맙다'는 메시지를 확인한 인정의 전화려니 하고 이번에는 흔쾌히 폰을 집어들었지만 발신자는 인정이 아닌 강인이었다... 헤어진 남자, 그 강인이었다.

　"여태 여기 사냐? 니 집 앞이야"라며 강인은 저돌적으로 나왔다.

　헤어진 지 한참 된 옛 남자와 마주 앉는다는 게 이런 거구나 하는 느낌을 받으며 은원은 조금은 설레는 심정이 되었다.

　"결혼, 했지?"라는 은원의 말에 그가 물끄러미 그녀를 쳐다보았다.
　"안했어 결혼?" 은원이 다시 물었다.

"너 여기 여태 사는 거 보니, 결혼 안 했구나"라며 그가 냅킨으로 이마의 땀을 닦으며 말을 했다.

헤어진 게 언젠데 여태 둘 다 싱글이라는 생각에 은원의 가슴은 요동치기 시작했다. 둘이 헤어진 것도 다 따지고 보면, 서로 오가는 마음의 질량이 달랐기 때문이었다. 여러번의 동침과 여행을 다녀온 사인데도 늘 무덤덤한 강인의 태도에 안달하다 지쳐버린 은원이 고한 이별이었다. "당신 날 사랑하지 않아""라는 말을 내뱉던 그 순간이 떠올랐다. 그와 헤어진 뒤 은원은 한참을 힘들어했고 일마저 하기가 힘들어 당시 쓰고 있던 라디오 일도 그만두었다. 그렇게 실연은 생활고로 이어졌고 뒤늦게 다시 일을 잡아보려 하였지만 그게 쉽지가 않아 오랫동안 힘겹게 살아야 했다.

" 우리, 어디 가서 근사하게 저녁 먹을까?"

라는 강인의 말에 그녀는 마치 청혼이라도 예정된 양 가슴이 콩닥거렸다.

그의 차는 지프형의 suv였고 도시적이고 세련된 운전자의 취향을 잘 대변해주고 있었다.

"너 이거 좋아했잖아"라며 그가 그녀 대신 라쟈니아

를 대신 주문해줄 때 그녀는 먹먹한 느낌까지 들었다.

 "왜 여태 혼자야? "
 "넌 왜 혼자야? 좋다는 놈이 없었어?"라며 강인이 조금 음흉하게 웃었다. 아무리 헤어졌어도, 그토록 사랑했던 남자의 얼굴이며 미소까진 지워지지 않는다는 걸 은원은 그와 헤어진 뒤 뼈저리게 느껴야 했다. 그런 그가 이제 몇 년만에 다시 돌아와 마주 앉아 있다는 것이 그녀로선 비현실적이기까지 하였다.

 둘이 그릇을 다 비울 때쯤 "우리 다시 만나자"라며 강인이 그녀의 한 손을 살며시 잡았다. 연애기간에도 그렇게 다정한 제스처를 취하지 않던 그였기에 은원은 잠깐 당황했지만 잡힌 손을 빼진 않았다.

 그리고는 그날 밤 그녀의 집에서 강인은 전처럼 조금은 과격하게 그러면서도 능숙하게 그녀를 안았다. 그리고는 다음날 새벽, 날이 밝기 전에 , 가겠다며 서두를 때 은원은 알아차릴수밖에 없었다. 그가 결혼했다는 사실을...그녀가 울먹이며 그의 등 뒤에서 그를 껴안자 "

우리 계속 보는 거지?"라며 그가 다짐이라도 받으려는 눈치였다. 그녀는 대답 없이 그를 꼭 끌어안았다.

그 후 강인은 이삼일에 한번 씩 그녀를 찾아 그녀를 안았고 또 서둘러 그녀를 떠나갔다...

그가 떠난 뒤 한참을 우두커니 있다가 은원은 불쑥 인정이 떠올랐다. 그녀에게 오랜만에 전화라도 걸고 싶다는 생각이 들어 그녀의 번호를 검색하는데 액정이 잠시 어두워지더니 전화창이 뜨면서 강인의 이름이 눈에 들어왔다.

"왜?"

"미안해서 얘기 못했는데....너 돈좀 있냐? 한 1억, 안 될까? 이사를 해야 하는데 딱 1억이 비네"라는 그의 말에 은원은 둔기로 머리를 얻어맞은 것만 같다. 하지만 이어서 나온 말은 자신이 전혀 예상 못 한 것이었다.

"집 잡히면 1억은 될 거야"라는 말에 강인은 안도의 한숨을 내쉬더니 "어떻게든 갚아. 나 믿지?"라고 한다.

그가 먼저 전화를 끊고 난 뒤 은원은 ' 그 한마디'를 듣지 못했다는 게 떠올랐다. 해서 다시 강인에게 전화해서 물었다.

"나, 사랑하지?"
"…"
"아냐? 그런거 아냐?"
"뭘 물어. 일일이 대답을 해야 해?"라며 그가 칭얼대는 아이 나무라듯 한다.

그렇게 통화를 끝내고 그녀는 샤워를 해야겠다는 생각이 든다. 아무리 자기 집을 잡히고 받는 돈이라 해도 은행원에게 후줄근해 보여서 좋을 건 없다는 생각이 든다. 그녀는 조금 전 강인의 손이 스쳐 간 자신의 몸 구석구석을 꼼꼼히 씻어낸다.

슬픈 이사

남도로 출장을 간 영진에게 선희는 방해가 되지 않게 되도록이면 전화를 걸지 않으려 했다. 하지만 연사흘 문자도 전화도 없는 그가 선희는 점점 걱정이 되었고 해서 출장 마지막 날 밤 9시가 다 돼서 그에게 전화를 걸었다. 하지만 전화는 한참을 울려도 연결이 되지 않고 음성 사서함으로 돌아갔다. 그에게 무슨 일이 있는 게 아닌가? 라는 의혹과 불안에 선희는 다시 전화를 해보았고 이번엔 통화 중 안내 멘트가 나왔다. 아,하는 작은 안도의 한숨을 내쉬고 10여 분 후 다시 전화를 하자 이번엔 전원이 꺼져있다는 안내 멘트가 나왔다. 뭐지? 하는 생각과 조금전 통화상대자가 갑자기 궁금해지며 선희는 미혹에 빠져들었다.

"야, 일 가 있을땐 전화하지 말라고 했잖아"

그가 출장에서 돌아온 다음 날 선희가 그의 회사 앞으로 가서 그를 만났을 때 그가 넥타이를 느슨하게 풀며 짜증을 냈다.

"미안...근데, 걱정이 돼서. 며칠 계속 아무 연락도 없고"

"아무일 없었어. 봐, 잘 있잖아"라며 그가 앞머릴 위로 쓸어올렸다.

남도의 따가운 볕을 쬐서 그런지 영진의 얼굴은 조금 그을려 있었다.

"근데...중간에 거니까 통화 중으로 뜨던데?...그리고 다시 거니까 전원오프 돼있고..해명좀 해줄래?"

"뭘...뭘 해명해. 너 의붓증 있냐? 이래서 어디 같이 살겠어..."하더니 그가 시간을 보는 척 하고는 잔업이 남아 다시 회사로 돌아가야 한다며 남은 커피를 급하게 마셔댔다.

선희는 의혹이 가시지도 않은 채 그를 보내야 했고 혼자 까페에서 30여 분을 멍하니 있다가 밖으로 나와 마침 오는 빈 택시를 잡아 탔다.

집안은 온통 이사준비로 정신이 없었다. 있는대로 어질러지고 싸다만 짐, 버릴 것, 가져갈 것이 혼재해 정신이 없었다...그런데, 영진은 이사가 잡힌 걸 알면서도 한 번도 와보질 않는다.

임금 체불로 전 직장을 그만 두기 전 거래처 직원으로 친분이 있던 영진과 본격적으로 사귄 건 선희가 회사를 나와 방송일을 마악 시작하던 때였다. 어떻게 알았는지 영진 쪽에서 방송국 앞이라며 내려오라는 전화를 해왔고 안 그래도 은근히 마음에 두고 있던 상대라 선희는 녹음이 끝나자마자 영진을 만나러 나왔다.

"방송국이 이런 데구나..."하며 1층 로비에서 너스레를 떨던 그의 모습이 아직도 선희의 기억 속엔 생생히 살아있다. 그리고는 같이 반주를 곁들인 저녁을 같이 먹고 그렇게 둘은 흔한 연애 단계를 거쳐 지금에 이르렀다. 지금 선희는 글을 쓰던 프로그램이 폐지돼서 실업자 신세가 되었고 그로 인해 영진에게 매달 송금하던 일정액을 보내지 못하게 되었다.

"니가 앵벌이도 아니고 내가 신세지는 입장인데 너무 신경 쓰지 마"라고 하였지만, 말은 그래도 그는 은근 실망하는 투였다.

영진도 물론 제 밥벌이 정도는 하고 있었지만 일찍 아내를 여읜 그의 부친이 뇌출혈로 쓰러져 입원 생활을 한 게 거의 5년이 다 돼가고 그 병원비까지 댈 형편은

24
그 남자의 방

안돼서 선희가 그 부분을 떠안고 있었다. 그런데 그녀 마저 실업자가 되면서 그게 힘들어졌다. 처음 한 두 달은 영진도 별 내색을 하지 않았지만 언제부턴가 그의 연락이 뜸해졌고 만나는 횟수도 눈에 띄게 줄어갔다. 하지만 선희는 그와의 결혼을 추호도 의심하지 않았다. 그래서 어떻게든 빨리 일을 잡아 부친의 병원비를 내고자 노력하였다...하지만 어쩌다 알음알음 선희의 이력서를 받아든 pd들도 선희가 마흔이 다 돼간다는 데는 난색을 표했다. 라디오 작가라는 게 글만 쓰는 게 아니어서 커피 심부름을 비롯해 잡일도 다하는 것이어서 pd와 별 나이 차이도 없는 작가를 그렇게 부릴 수는 없기 때문이었다.

굳이 영진 부친의 병원비가 아니어도 선희의 생활도 점점 빠듯해져서 그녀는 일을 가리지 않고 해야 하는 형편이 되어갔다. 이렇게 버티면 6개월도 못가 파산이라는 생각이 들어 그녀는 구인지를 뒤적였고 전화도 수십통을 돌려봤지만 죄다 소용이 없었다. 이리도 일을 구하기가 쉽지 않을 줄은 그녀도 몰랐다.

한밤중에 들려온 전화벨소리는 왠지 불안감을 조성했고 발신자가 영진인걸 알고는 겨우 진정이 되었다.

"너, 돈좀 있어?"

누구보다 선희의 처지를 잘 아는 그의 입에서 그런 말이 나온다는 게 그녀는 너무도 어이가 없었지만 내색하지 않고

"미안. 내가 돈이 어딨어. 백순데"라고 하자 "그렇지? 알았어"하고 그는 전화를 끊을 기세다.

거의 일주일 만에 걸어온 전화 내용이 '돈'이라는 게 그녀에게 답답함을 안겨주었다.

"우리 보자. 안 본 지도"

"요즘 회사 구조조정 들어갔어. 한동안 정신없다"라며 그가 전화를 끊어버렸다.

우린 이미 남이 돼 버린 걸까, 하는 의문이 그로부터 내내 그녀를 괴롭혔고 , 남도에서 그녀의 전화를 피한 그의 모호한 행동과 상황은 더더욱 선희를 의혹의 늪으로 밀어 넣었다.

"웬일로 나오라고? 구조 조정 중이면 책상에 붙어있어야 하는거 아냐?"

그는 회사 앞으로 나오라는 전화를 했고 서둘러 둘이 자주 만나는 그 까페에 들어선 선희의 눈엔 미리 나와 앉아있는 영진의 모습이 눈에 들어왔다.

"잘 지내지?"

조금은 선문답 같은 대화가 몇 차례 오 간 뒤 영진이 자기 물을 반쯤 마신 뒤 본론에 들어갔다.

"영은이..."

"영은? 아, 자기 동생?"

"응...그 녀석이....혼전 임신을 했어"

"요즘은 그게 흠도 아닌데 뭐,."

"그러니 결혼시켜야지. 근데...너도 알다시피 내가 돈이 빠듯하잖아. 요즘 아버지 병원비도 융통해서 겨우 대고 있는데"

"그 일은 미안해. 내가 이러고 있어서"

"결혼, 요즘은 여자 남자 같이 집을 하는 추세잖아. 해서,"

"어떡하지? 나도 간신히 연명 중이야. 알잖아"

"너...집...."

"응?"

"집은 ...아니다"
하고 그는 다시 남은 물을 들이켰다.

이게 무슨 말인가 하던 영진은 둔기로 머리를 한 대 세게 맞은 느낌이 됐다. 집이라도 잡혀 자기 여동생에게 주라는 건가? 그녀는 아득해졌다...
"설마...나보고 집을"
"요즘 아무리 작아도, 아파트 전세라도 살려면"
"영진씨!"
"아냐. 없던 일로 해. "하고 그가 시간을 보고는 자리에서 일어나려 하였다.
"우린 지금 뭐하고 있는 거야?" 그녀를 스쳐 가는 그에게 선희는 미동도 않고 그렇게 내뱉었다.
그 말에 영진이 뜨끔했는지 주춤했지만 더 이상의 말은 않고 그대로 까페를 나가버렸다.
우린 지금 사랑하고 있는 걸까? 아직도 연인 사이긴 한 걸까? 그녀는 버려진 여자처럼 그렇게 남은 커피를 마셔가며 깊은 의혹과 상심에 빠졌다.

하지만 그날 이후로 영진은 계속 연락을 해서 돈 이

야기를 해댔고 그에 지친 선희는 결국 집을 팔기로 하였다. 집이라고 해봐야 실평 10평 정도의 소형 아파트였지만 그래도 대학 졸업후 아르바이트와 회사생활, 방송작가일을 하며 근근이 마련한 집이어서 애착이 남다를 수밖에 없었다. 하지만 정혼자가 급하다는데야....하다가도 영진과 결혼으로 간다는 게 너무도 비현실적으로 느껴져 주춤하곤 했다. 하지만 일단 그녀의 입에서 집을 팔기로 했다는 말에 영진은 서둘러 수십 군데 여기저기 집을 내놨고 집은 이 거래 절벽 상황에서도 금방 나가버렸다.

"이체했다구?"

영진이 요구하는 금액을 선희가 계좌이체 하자 그는 고맙다는 말 한마디 없이 저렇게 되물었다.

"보냈으니까 확인해보라고"

"알았어"하고 상대는 전화를 끊어버린다.

최소한 수고했다 고맙다 미안하다 정도의 인사는 해야 하는 게 아닌가 하다가 그녀는 한 달도 안돼 비워줘야하는 집 상황이 떠올라 자잘한 것들에 얽매이지 않기로 하고 이사준비에 들어갔다.

뒤늦게 둘째를 가진 친구 윤미가 와서 같이 짐을 싸면서 툴툴댔다.

"영진씨 뭐 하는거니. 자기 때문에 집도 날리고 외곽으로 나가는데 들여다보지도 않고"

"바빠 그 사람. 지금 회사가 구조조정 중이라 눈 밖에 나면"

"팔려면 자기 집을 팔든가 하지"

"그 사람, 월세야. 동생들 학비대고 생활비 대느라..."

"그래?"

"응..."

그 말에 윤미는 더 이상 말을 이어가지 않았지만 내내 마뜩지 않은 표정이었다.

"그만 하고 가. 몸도 그런데"

선희의 그 말에 박스에 테잎을 붙이던 윤미가 잠시 멈추더니 "니들 확실해? 결혼은 하구?"라고 의혹에 가득 차서 물었다.

"하겠지 결혼"

"야, 그런 말이 어딨어. 집까지 팔면서 그것도 확인 안 했어?"

안 그래도 집 매도 계약을 하기 전 영진에게 선희가 전화를 걸어 그 얘기를 하려고 하자 먼저 눈치챈 그가 짜증으로 그녀의 입을 막았다. 바쁘다면서.

하지만 그때는 크게 개의치 않고 집을 팔았는데 , 이사가 결정된 뒤 한 번도 들르지 않는 영진의 태도를 보며 안 그래도 선희도 그 부분이 미덥지 않았다. 그와의 결혼은 이루어질까? 내가 괜한 짓을 한 건 아닐까?

윤미가 손사래를 쳐도 선희는 그녀의 손에 사례 봉투를 쥐어 주었다.

"기집애 하여튼..."하며 영미는 마지못해 그 돈을 받고 자기 차에 올라 단지를 빠져 나갔다..

그래. 한번 오라고 해보자. 그러면 확실해질 거야,라는 생각에 선희는 어수선한 집에 들어서자마자 영진에게 전화를 걸었다.

"오늘 올 수 있어? 남자 힘이 좀 필요해서"

"야, 넌 무슨 수선이야. 포장 이사라매"

영진의 볼멘 소리에 그녀는 괜히 전화를 했다는 생각과 동시에 그에게 건너간 그 돈이 아까웠다. 무를 수만 있다면....

"우리, 결혼 해?"

"…"

"왜 대답을 못해?"

"야, 나 지금 바빠"

"바빠도 대답해야 해. 남도에서 그 묘한 상황은 뭐였어? 통화 중이었다가 내 전화는 안 받고 전원 꺼놓고. 누구랑 통화한 거야?"

그녀의 추궁에 영진은 "에이씨..."하더니 전화를 끊어 버렸다. 선희는 싸놓은 박스 위에 털썩 주저앉았다. 그러자 궁상맞게 눈물이 주르륵 흘러 내렸다. 이런 게 로맨스 피싱인가 보다 하고는 엉엉 소리 내서 울었다...

그렇게 박스 사이에서 어찌어찌 잠이 든 그녀는 새벽에 걸려온 영진의 전화에 잠이 깼다.

"야근하고 이제 퇴근한다"

"왜....전화했어?"

"이삿날 갈게. 그럼 되지? 미안해 중간에 들여다보지 못해서""

"그거보다, 분명하게 대답해줘. 남도에서 왜 내 전화

피한거야?"

"그냥 동료 전화였어. 일 전화...미안. 넘 피곤해서 니 전화는 못 받은거고"

"..."

"암튼 이삿날 갈게" 하고 그는 일방적으로 전화를 끊었다.

"혼자 이사하세요?"

이사 인부 하나가 사다리차에 짐을 실으며 옆의 선희에게 물었다.

그 전날, 윤미가 와준다고 전화했지만 산 달이 다 돼가는 친구를 또 오라고 할 수는 없었고 어쨌든 영진이 온다고 했으니 믿어보고 싶었다. 하지만 이삿짐이 반 이상이 내려가도 영진은 나타나지 않아 그에게 전화를 걸자 전원이 꺼져있다는 멘트가 흘러나왔다.

이런 거였어....다 계획적인 거였어...라는 생각에 선희의 가슴이 쿵, 하고 내려앉았다.

"출발합니다"

라며 인부가 마지막 짐을 트럭에 실으며 선희에게 말했다.

"혼자 가시는 거면 같이 타시든가요"라는 말에 선희의 얼굴이 화끈 달아올랐다...

그 순간, 저만치 단지를 진입하는 눈에 익은 하얀 경차가 눈에 띄었다. 영진이었다.

"아뇨. 남친 왔어요"라고, 마치 아이처럼 자랑하듯 소리치자 인부가 대강의 상황을 파악했는지 빙긋 웃어주고 트럭에 올랐다...

"나 바빠서 오래 못있고 그래도 들여다는 봐야 할 거 같아서..."

이삿짐 트럭이 이미 단지를 빠져나갈 즈음 영진이 차에서 내리며 던진 이 말에 선희는 온몸의 힘이 빠져나간다.

"난 저쪽 데려다만 주고 회사로 돌아가야 해."

"그럴 거면 그냥 택시 타는 거랑 뭐가 달라?"

"얼른 타"하며 영진이 조수석 문을 열어준다.

마지못해 차에 타려던 선희는 그 의뭉스런 부분을 명료하게 하고 싶었다.

"남도에서...왜 내 전화 그렇게"

"또 그 얘기야? 피곤해서 그랬다고 했잖아. 안 탈 거면 나 가고"

"당신, 여자 있어"

"너 그 의붓증 고치지 않음 평생 간다"하더니 그가 화가 난듯 차에 올라 시동을 건다.

안 탈거야?"

영진이 차 안에서 소리치지만 선희는 얼어붙은 듯 그 자리에서 꼼짝을 못한다.

멀리서 돌아온 남자

정인은 호승이 과연 이삿날 올까 그게 궁금했다. 얼마전까지만 해도 연인이었던 둘이었지만 그에게 오랜 연인이 따로 있다는 걸 알고는 헤어졌기에, 그전에 했던 약속, 즉, 이삿날 와주기로 한 게 지켜질지 장담 할 수가 없었다.

'그래. 니 의심대로 여자가 있긴 한데 정리 중이야'라던 그의 말이 너무도 모호하고 원망스러워서 그녀는 그의 뺨이라도 후려 갈기고 싶은 걸 간신히 참고 까페를 뛰쳐나왔다.

케이블 tv작가와 pd로 만나 어언 3년의 연애를 거쳐 이제 남은 건 결혼뿐이라는 생각에 양가 인사도 다니고 친구들에게도 다 알렸는데 딱 하나, 그가 한 달에 한번씩은 특별한 이유도 없이 남도로 가는 게 마음에 걸렸고 그걸 추궁한 끝에 결국 따로 여자가 있다는 걸 정인은 알게 된 것이다.

호승과는 초등동창인 '그녀는 남도에서 허름한 구멍가게를 하며 죽은 남편과의 사이에서 낳은 어린 딸을 홀로 키우고 있고 그걸 애틋하게 지켜본 호승이 자신의 월급 일부를 그녀에게 송금하고 한 달에 한 번씩 모녀를 보러 간다는 걸 알고 처음에 정인이 따져 물었을 땐 "안돼서"라고 대답했지만 그냥 어릴 적 동창에 대한 애틋한 마음만이 아닌 걸 알아차리고 정인이 결별을 통보하자 그제야 그는 뒤늦게 시인을 했다. 자기 여자라고...

　그즈음, 정인은 보증금을 올려달라는 집주인에게 이사한다고 이미 고지해서 무를 수도 없었고 올려달라는 액수가 너무 커서 대출을 받기 전에는 어림도 없었다.
　그런 정인에게 호승은 자기만 믿고 이사하라고 큰소리를 쳤지만 며칠 후 둘은 갈라진 것이다.
　정인의 상상 속 세 사람, 그러니까 호승과 '그녀', 그녀의 어린 딸은 남도의 눈부신 햇살과 윤슬이 일렁이는 바다를 배경으로 너무도 행복한 한폭의 그림이어서 정인 자신이 비집고 들어갈 자리가 없다고 느꼈고 그것이 결국은 호승과의 줄을 놓게 만들었다.

  안 오면 혼자 하지 뭐, 라면서도 그녀는 혹시나 마음을 접을 수 없었고 다른 누군가에게 부탁하기도 싫었다. 사실, 이삿짐이라고 해봐야 혼자 살아온 여자니 그리 많지도 않았지만 다만 책이 문제였다. 원래 소설가를 꿈꾸었던 그녀이기에 방 하나를 다 채우고 거실까지 침범한 책장 가득 책이 겹겹이 채워져 있어서 처음 이삿짐 견적을 내러 온 업자는 "책 절반 버리지 않으면 이사 안해줘요!""라고 협박 아닌 협박까지 했다. 안 그래도 이사 때 한 번씩 짐 정리를 한다는 생각에 이번엔 상당량의 책을 처분하고 갈 생각이었던지라 정인은 묵묵히 알았다고 대답했고 일주일에 걸쳐 책을 내다 버렸다. 그 중엔 고백문학의 진수를 보여준 도스토옙스키의 〈지하생활자의 수기〉를 포함해 북유럽 정취를 아스라이 그려낸 헤닝 만켈의 〈이탈리아 구두〉도 포함돼 있어 그 두 권을 손에 들고는 이걸 어쩌나 한참 고민을 하였지만 결국, 한번 읽은 건 다시 읽지 않을 거라는 생각에 과감히 버렸다.

그 남자의 방

"야, 책 다 버리지 마. 그러려면 나 줘"라던 호승의 말이 떠올랐지만 안 그래도 호승도 책이 많은데 더 늘어나게 되는 거라 그녀는 기어코 버리는 쪽을 선택했다.

그렇게 책 정리를 하고 자잘한 구식 오디오까지 중고 처리를 하고 나니 짐이 한결 줄어들었고 이제 이사만 하면 된다는 생각이었는데 호승과의 결별이라는 악재가 터진 것이다. 끝까지 '그녀'와는 '친구'일뿐이라고 우겨대지, 왜 하필 마지막 순간 '내 여자'라고 했을까, 하며 그런 호승이 원망스럽기까지 했지만 헤어질 거, 이렇게 정을 다 떼고 갈라서는 게 낫다는 생각도 들었다.

이삿짐센터는 약속한 것보다 30분이나 일찍 와서 세수중이던 정인이 다급하게 문을 열어주었다.

"천천히 하세요"하며 이삿짐 센터 사장은 자기가 명한대로 책이 버려졌는지부터 확인하더니 흡족해하는 눈치였다.

"고생했겠어요"라며 그가 씩 웃을때 정인은 얄밉다는 생각까지 들었다.

한 시간 여 포장이사가 진행되고 정인도 얼추 자기가 챙겨야 하는 짐을 챙길 즈음 밖에 사다리차가 왔다는 업체 사장의 말이 들려왔다. 호승은 역시 오지 않는구나,라는 생각에 정인은 우울감이 깊어지고 이사고 뭐고 다 때려치우고 싶었지만 이미 옷장 하나가 사다리를 타고 내려가는 중이어서 멈추라고 할 수도 없었다.

그렇게 이삿짐의 반 가까이가 내려갈 때까지 호승은 나타나지 않았고 혹시나 하는 마음에 전화라도 해볼까 하다가도 차마 발신 버튼을 누를 수가 없었다.

결국, 호승 없이 이삿짐이 다 부려지고 자잘한 짐만 남긴 상태에서 정인은 텅 빈 집을 비질을 하며 마지막 청소를 해주었다. 그래도 4년을 살아온 집이어서 비록 남의 집이나마 있는 대로 정이 들었고 호승과 함께 한 시간들이 있었기에 이 집과의 이별이 만만치가 않았다.

"야, 누가 이사가면서 비질을 하냐"라는 호승의 소리에 그녀는 하던 비질을 멈추고 그 자리에 얼어붙었다. 차마 뒤를 쳐다보지도 못했다.

그가 다가오자 그녀의 가슴이 쿵쾅거리기 시작했다. 헤어지기 전 약속을 이렇게라도 지켜준 그가 고마우면서도 원망스러웠다. 이럼 정이 다 떼지지가 않잖아....

호승은 다가와서 그녀의 손에서 빗자루를 빼내고 "짐 다 나간거지?"라고 했다.

정인이 고개를 끄덕이는데 갑자기 눈물이 흘러내렸다.

"왜 왔어.."

"오기로 했잖아"

"안 와도 되는데"

하는 그녀를 호승이 포근히 품에 안아주었다. 그러자 그녀는 자기도 모르게 서럽게 울음을 터뜨리고 말았다.

호승은 정인의 새집, 그러니까 경기도와 인접한 외곽을 향해 빠르게 차를 몰았다.

"잘 지내지 그쪽하고?"

"..."

"거기...남도"

"난 또..."

라며 그가 말끝을 흐리자 정인은 괜히 '그녀'를 언급했다는 후회가 치밀어올랐다. 왜 그랬을까...자신이 한심하기만 했다.

"고마워 오늘 와줘서"

"약속이잖아...내가 일자리 알아봐줄까?"

방송국에서 작가라는 프리랜서는 언제든 잘릴 수 있는 존재고 프로그램이 폐지되면 동시에 놀게 되는 임시직이라 지금 정인은 실업중이다. 한동안 잘 나가던 예능 프로의 메인 작가였지만 언제부턴가 시청률이 하강하면서 슬슬 폐지론이 돌기 시작했고 드디어 개편 때도 아닌데 폐지통보를 받고 실업자가 돼버렸다.

"내 일은 내가 알아서 해"

"하기사...너 글 잘 쓰고 사람들하고도 잘 어울리니까 어디 가서든"

그리고는 다시 서로 침묵이 이어졌다.

무슨 할 말이 있을까...이미 헤어진 사람들이.

그러고 있는데 저만치 먼저 와있는 정인의 이삿짐 트럭이 눈에 보이고 앞으로 살게 될 단지가 그 뒤로 펼쳐져 있다.

"너 차 한 대 사야겠다. 여긴 도심에서 멀어서"

"괜찮아. 버스로 좀 나가면 지하철 있어"

"너 지하로 다니는 거 싫어하잖아"

그렇게 자신에 대해 세세히 알고 기억하면서 결국 선택은 '그녀'를 했다는 게 정인은 믿기지도 이해가 가지도 않았다. 하지만 또 그 얘기를 끄집어낼 수도 없었다.

"짐 다 올라오면 가"

"..."

"와준 건 고맙고"하고는 그녀는 먼저 차에서 내렸다. 그러자 호승도 차에서 내렸다.

그렇게 현장은 호승에게 맡기고 그녀는 잔금처리를 위해 부동산으로 갔다.

부동산에서 잔금을 치르고 현관 도어락 비밀번호를 받고 나오는데 하나둘 빗방울이 떨어지기 시작했다.

"이삿날 비오면 잘 산대요!"라면서 부동산 사장이 뒤에서 너스레를 떨었다.

어쩌면 그동안 호승이 가버렸을지 모른다는 생각에 정인은 불안한 마음이 돼서 비를 맞으며 허겁지겁 단지로 돌아왔다.

예감대로 호승은 자리에 없었다. 인부들만이 부지런

히 사다리에 짐을 실어 올리고 있었다. 호승이 집 안에 있을지 모른다는 생각에 정인은 헐떡이는 가슴을 부여잡고 엘리베이터에 올랐다. 11층에서 문이 열리는데 활짝 열린 자기 집 현관이 눈에 들어오며 그 안에서 열심히 비질을 하고 있는 호승이 눈에 들어왔다.

"뭐야, 비질하면 복 달아난다며"하고 그녀가 다가가서 툴툴대자

"야 , 쓰레기 위에 그냥 짐 놓을거야?"라며 되레 그가 타박을 하였다.

인부들이 마지막 정리를 하고 잔금을 다 받고나자 호승이 호기롭게 5만원권 두장을 그들에게 내밀었다

"미리 다 드렸어"하고 정인이 속삭였지만 호승의 돈은 기어코 인부들에게 건너갔다.

그들이 다 나가자 호승이 현관문을 닫으며 "야박하게...이삿짐 부리는게 쉽겠어 너라면?"하고는 그녀를 나무랐다.

그리고는 대강이나마 놓여진 가구며 집기들을 일별하더니

"내방은 어디야?"하고 난데 없이 물어왔다.

"자기 방? 우리 이미"

하는데 그가 정인에게 바싹 다가왔다.

"어젯밤에 내려가서 정리하고 왔어. 홀가분하게 너한테 오려고. 그래서 오늘 좀 늦은 거고"

호승의 이 말이 정인은 믿기지가 않았다.

"그렇게 좋아한 여잔데...그게 되든?"

"힘들었어. 하지만....너를 놓을 수도 없었어. 두 여자랑 살 수는 없잖아. 다시 나 받아줄래? 아니, 결혼할래 우리?"

"...진심이야?"

"그동안 속 타게 해서 미안. 이젠 안 그래. 정말 잘할게"라며 그가 살며시 그녀를 품에 안았다...

그때 요란하게 초인종이 울려 둘은 서로 떨어졌다. 정인이 현관문을 열자 조금 전 나간 인부 중 하나가

"저기, 혹시 공구함 놓고 갔나 해서요"하며 머리를 쓱쓱 문질렀다.

"잠시만요"하고 정인이 여기저기 돌아보는데

"여깄네요"하는 호승의 목소리가 들려왔다.

어디선가 공구함을 찾은 그가 인부에게 되돌려주는 그 모습이 정인의 눈엔 의젓하고 당당해보였다. 이제 이 남자에게 의지해 살면 된다는 생각에 정인은 낯선 새집이 조금은 정겹게 와 닿았다.

"야, 이삿날인데 자장면 시켜 먹자"는 호승의 말에 그녀는 반사적으로 배달앱을 뒤적였다.

그리고는 15분 후 자장면 2인분이 배달됐다.

"촌이라도 배달이 되네"하며 호승은 신기해하며 입가에 온통 자장 소스를 묻혀가며 자장면을 열심히 먹어댔다. 그런 호승의 입가를 냅킨으로 닦아주며 정인은 앞으로도 자주 자장면을 먹어야겠다는 생각을 한다.

환한 어둠

현수는 갑자기 스케줄 변동이 생겼노라 집들이에 올 수 없다는 메시지를 보내왔다. 소은은 온몸에 힘이 쭉 빠진다. 딱 하나 불렀고 그 대상이 못 온다고 하니 우울해졌다.

"할수 없지 뭐. 다음에 너 편할 때 와"라고 답문을 보내고 소은은 한 상 가득 차려놓은 음식을 쳐다본다. 편히 먹으라고 일부러 앉은뱅이 상차림을 했는데 이게 다 쓸모가 없어졌다... 몇가지는 냉동실에 넣어도 되지만, 나물류는 금방 먹어치워야 한다. 현주가 유난스레 나물을 좋아해서 이것저것 무쳐 놓은게 한 가득이다...

소은은 아직 정리되지 않은 주방을 뒤져 양푼을 꺼내 그 안에 비빔밥을 만들어 먹기로 한다. 무친 나물을 덜어서 양푼에 쏟아붓고 밥을 한 주걱 넣고 들기름을 살짝, 그리고는 고추장을 반 스푼 넣어 비벼댄다. 제법 그럴듯한 비빔밥이 되었고 그녀는 허기진 위장 속으로 꼭꼭 씹어 넘긴다.

그 남자의 방

이번 이사 전에 그래도 찾아와서 짐 싸기를 거들어준 건 현주 하나였다. 정말 막역하다 여긴 친구들은 그저 인사치레를 할 뿐 누구하나 찾지 않았지만 회사 동료였던 현주가 그나마 찾아주었다. 그녀는 아예 자고 갈 양으로 잠옷까지 챙겨와서는 두 팔을 걷어부치고 짐을 싸기 시작했다.

"포장이사 취소해. 내가 다 싸줄테니까"라며 그녀는 너스레를 떨기까지 하였다.

한참 둘이 짐을 싸는데 어느 뱃속에선가 허기진 소리가 들려와 둘은 까르륵 웃었고 나란히 집 앞 고깃집에 가서 삼결살을 구워 소주 반병을 함께 비웠다.

"다신 사내놈한테 돈 주지 마. "

현주가 살짝 눈을 흘기며 핀잔을 주었다.

동현....

그의 사업 자금으로 대준 돈이 회수되지 않고 뒤늦게 그에게 다른 여자가 있다는 것까지 알고는 결별, 그 때문에 생활이 어려워져 헐값에 집을 팔아버린 내막을 현주는 잘 알고 있었다.

"알았어. 미안 "

현주에게 미안해할 일은 아니었는데 어쩌다 보니 소은의 입에서 그런 말이 나왔다.

"이제 내 허락 맡고 연애해!"라며 현주는 소주잔을 비웠다.

"내가 집들이 근사하게 할게"라는 소은의 말에 현주는 이미 술이 불콰하게 올라 고개를 떨구고 있었다.

그 다음날 현주는 소은의 집에서 나가며 돈 봉투를 내밀었다.

"뭐야 이게?"

"이사에 보태라고. 얼마 안돼"

"넣어둬"하면서 소은이 그 돈을 다시 현주 윗 주머니에 꽂으려 하자 그녀는 손사래를 치며 서둘러 엘리베이터에 올랐다.

"미안해. 고마웠고"라는 소은의 말이 끝나갈 즈음 기계 문은 닫히고 빠르게 하강했다.

이사하라고 돈을 건네준 친구는 현주가 처음이었다. 나중에 열어보니 30이 들어있어 소은은 민망하기까지 했다. 그리고는 이사 전날 전화까지 걸어와서 "내가 정말 안가도 돼? 출장만 아니면 가는 건데"라며 미안해

49

하기까지 했다.

　둘은 작은 출판사에서 만났고 소은은 재직하며 쓴 글이 모 문예지 신인상에 당선되면서 본격적으로 작가의 길을 걸었고 현주는 1인 출판을 내서 제법 돈을 벌었다. 쉽게 풀어쓴 철학서가 공전의 히트를 치며 후속작도 잇따라 선방했고 현주는 직원 둘을 채용해 매출에 박차를 가하고 있었다.

　"니 첫 소설은 무조건 내가 내는 거다?"

　소은이 보낸　개업 축하 화분을 받아들고 현주가 전화를 걸어와 내뱉은 말이 그랬다. 하지만 그 당시 소은은 정작 써야 할 소설은 쓰지 못하고 동현의 또다른 여자의 존재 때문에 애면글면 속을 태우던 시기여서 "당연하지.."하고 얼버무릴 수밖에 없었고 결국 그 소설은 미완으로 끝났고 생활은 점점 어려워져갔다. 결국엔 집을 ...이라는 생각에 이르고나자, 그 헛헛했던 동현과의 연애가 아득한 옛이야기처럼 반추되었다. 그리고는 잊기로 하였다.

　남은 음식을 랩으로 씌우고 용기에 담아 냉동실에 쑤셔 넣고 나니 벌써 바깥엔 어둠이 내리고 있다. 얼마

전까지만 해도 밤 9시나 돼야 어두워지던 하늘이 이제는 제법 일찍 검은 장막을 드리웠다. 여름은 간 걸까 그렇게...

앉은뱅이 테이블을 다시 접어 주방 귀퉁이에 세우고 나니 나른한 포만감과 함께 피곤함이 몰려왔다.

소은이 샤워를 하러 욕실로 들어간 순간 초인종이 울렸다. 현주가 왔나?

"현주니"하며 그녀는 맨발로 현관으로 달려갔지만 문밖에는 초로의 경비원이 서있었다.

"오늘 이사오셨죠?"

"네.."

"분리수거는 금요일 오전 6시부터 10시 사입니다."

"아...알겠습니다"

그러고 있는데 소은의 눈에 경비원의 한 손에 들린 해머가 들어와 그녀는 섬찟했다. 그걸 눈치챈 경비원은 "혹시 못 박아 드릴 거 있나 해서..."라며 씩 웃었다.

여자 혼자 이사 온 게 안돼 보였는지 그는 그렇게 호의를 나타냈지만 웬만하면 집에 못을 박지 않는 소은은 '고맙지만 됐다'고 사양하고 그를 돌려보냈다. 이 정도의 온정이면, 비록 외곽이어도 이사는 잘 왔다 싶다.

그 남자의 방

어차피 지난번 집은 동현과의 기억이 너무 많아 더 살라고 해도 살지 못했을 거라는 생각에 그녀는 허탈해하며 이제는 정말 샤워를 해야겠다 마음먹고 다시 욕실로 향하는데, 이번엔 인터폰이 울렸다.

"누구라구?"

"나야 동현이"

인터폰 너머에서 자신을 동현이라 밝히는 남자의 목소리가 그녀는 너무도 낯설었다. 물론 동현의 목소리였지만 한 번도 들어본 적 없는 그런 낯섦이 묻어났다

"아가씨 아는 분 맞아요?"

조금전 그 경비원의 소리가 들려왔고 소은은 대답을 할 수가 없어 잠자코 있다가 "아뇨, 모르는 사람이예요" 하고는 인터폰을 끊었다. 그렇게 한참을 우두커니 있다 그녀는 후다닥 거실 발코니로 달려갔다. 그녀가 아래로 시선을 던지자 눈에 익은 흰색 suv가 서서히 단지를 빠져나가고 있었다.

그는 어떻게 알았을까 내가 이곳으로 이사온 걸...

그의 여자와는 헤어진 걸까? 왜 온 걸까? 무슨 얘기를 하려고 온 걸까? ...

그녀는 마음이 복잡해져 간단히 세수만 하고 침대에

들었다. 그러자 갑자기 공허함이 밀려왔다. 동현과의 연애 내내 그녀는 늘 죄인이 된 심정이었다. 그가 볼멘 소리를 하면 자신이 큰 잘못이라도 저지른 거 같아 숨을 죽여야 했고 몇날 며칠 그가 연락을 끊었을 땐 죽을 것만 같은 고통에 시달렸다. 그러다 한밤중 짤막한 그의 메시지 한 줄에 그녀는 기사회생해서 장문의 답문을 보내곤 하였다. 그러면 그는 다시 뒤로 한걸음 물러나기를 반복하였다.

"그 남자 고수다. 조심해라"하고 현주가 여러 번 경고를 주었건만, 동현이 부르면 하던 일도 내팽개치고 달려나가곤 하던 그녀였다. 그래서일까. 그런 그녀에게서 더 이상 그 어떤 끌림도 느끼지 못한 걸까, 어느날 그에게서 한번도 보지못한 '그녀'의 냄새가 났다. 여자의 향수.

향수를 전혀 쓰지 않는 소은이었지만 직감으로 알아챘다. 그리고는 둘의 갈등, 그리고는 그와 자는 도중 걸려온 그녀의 전화, 붙드는 소은을 팽개치고 달려나간 동현...

이 모든 것들이 주마등처럼 소은의 머릴 스치고 갔다. 이럴때 뇌를 열어 기억 주머니를 도려낼 수만 있다면...

그러고 있는데 전화벨이 울렸다. 동현일지 모른다는 생각에 그녀의 심장은 심하게 요동쳤다. 하지만 액정에 뜬 건 현주의 이름이었다.

"응..."

"지금 가도 돼? 나, 먹을거 있어?"

그 말에 소은은 허탈함과 동시에 웃음이 새어나왔다. 그리고는 알아차린다. 동현에게 자신의 새 주소를 알려준 게 현주임을. 시간을 벌기 위해 일부러 못 온다고 했던거까지.

현주는 생각보다 일정이 빨리 끝났다며 30분이면 올 수 있다고 한다.

소은은 전화를 끊고 한참을 어둔 방에 웅크리고 골똘히 생각에 잠긴다...그러다 어둠 속 미로를 더듬어 거실로 나온다. 물론 눈에 익지 않은 낯선 어둠이었다...

현주는 그 나름으로 소은을 챙기려고 한 짓일 게다. 확실히 동현을 끊어냈는지, 이 집만은 지키고 살 수 있는지, 평생 가는 우정을 기대해도 되는지, 남자 따위에 휘둘리지 않게 소은이 확실히 새롭게 태어났는지, 그

모든 걸 확인하고 싶었으리라...

소은이 주방   led 를 켜자 눈이 부셨다. 이 밝음.

이 환한 어둠을 가르고 지상에 하나 뿐인 친구, 정현주가 달려오고 있다...

그녀는 냉동된 음식들을 빠르게 해동하기 위해 전자레인지에 넣었고 냉장실을 열어 남은 나물을 모두 꺼내 빠르게 무친다...현주에게 더할나위 없는 집들이 음식을 맛보게 하리라 .

금지된 사랑

연애 기간 동안 한 번도 자기 집에 부른 적 없는 혁민의 집을 은정은 이번엔 꼭 가보리라 마음먹었다. 혼자 살면 오죽하랴 싶어 밑반찬이며 이것저것 준비해 전화를 하면 꼭 단지 근처 a마트 앞으로 오라고 한 그였다.

"난 자기 집좀 가보면 안돼?"
"허접해서...월세라 쪽팔려"
처음엔 그의 말을 곧이 곧대로 믿고 그가 하라는대로 a마트 앞에서 그를 만나왔다.
물론 혁민은 은정의 집에 자주 왔고 잠도 자고 여러 날을 머물다 가기도 하였다.
"그래도 넌 이렇게 집이라도 있잖아 난...."
이라고 그가 자학할 땐 은정은 몸둘 바를 몰라 했다. 집이라고 해봐야 실평 10평이나 될까, 그것도 외곽에.
그런 그를 보면서 돈으로 보태주진 못해도 그가 작가니 책이라도 자주 사주고 고기, 밑반찬은 자기가 맡겠

노라 다짐을 했고 여태 그래왔다.

　혁민은 한마디로 무명소설가다. 동대문에서 옷을 떼다 파는 은정이 글 세계를 충분히 이해하는 건 아니었지만 그만큼 그 세계 사람들에 대한 경외의 마음 정도는 갖고 있었고 그들이 현　세태에서 돈 벌기가 얼마나 힘들까 정도는 헤아릴 수 있었다.

　둘이 처음 만난 건 혁민이 은정의 옷가게에서 온라인으로 옷을 주문한 게 사이즈가 안 맞아 교환요청을 하면서였다. 그는 받자마자 습관처럼 세탁을 해버려 은정은 교환 불가라는 답변을 보냈고 그러자 혁민은 그런 법이 어딨냐고 항의를 하였다. 은정은 그 나름 차근차근 설명을 해줬지만 혁민은 불퉁하게 그녀의 전화를 끊어버렸고 이후 포기했는지 그로부터는 연락이 없었지만 은정은 4900원짜리 티셔츠 하나로 둘이 다퉜다는 게 마음이 편치 않아 혁민이 요구한 한 사이즈 위 옷으로 다시 보내주었다. 그러자 그걸 받은 혁민이 전화를 걸어왔고 둘의 인연은 그렇게 시작되었다.

무능하다면 무능한 혁민이었지만 은정으로서는 그가 작가라는 게 은근 뿌듯하고 자랑하고 싶은 포인트였다.

"야, 하필 거렁뱅이를 만나냐"

여고 동창 희숙이 그렇게 이죽거렸지만 은정은 기다렸다는 듯이 제일 잘 나온 혁민의 사진을 보여주면서 은근 자랑을 해댔다.

"야, 이러다 인물값 하면 어쩔라고"

라며 희숙은 그 사진마저 트집을 잡았지만 은정은 개의치 않았다.

그런 은정의 마음을 알기라도 하듯이 혁민은 곧잘 이렇게 묻기도 하였다.

"너 정도면 돈 많은 놈도 충분히 만날텐데 왜 나 같은 놈을..."

"자긴 특별해. 아주 특별한 남자야"라며 그녀는 그의 품으로 파고들곤 하였다.

하지만 연애 기간이 한참 돼도 여태 혁민이 자신의 집을 보여주지 않는다는 게 언제부턴가 은정의 마음을 무겁게 하였다.

"야, 그놈, 혹시 딴여자 있는거 아냐?"

희숙은 그런 말까지 해댔다.

그럴리야 없겠지만 그래도 딱히 '허접'한 것이 이유인 것만은 아닐 거 같아 안그래도 은정 역시 이번엔 기필코 그의 집에, 그의 방에 들어가 보리라 다짐을 하였다. 그리고는 사전 연락도 없이 고기와 밑반찬을 싸서 혁민의 동네로 차를 몰았다. 그날따라 차가 막히지 않아 평소 1시간 거리의 그 동네에 40여 분만에 도착하고 나자 그 다음이 막막했다. 대충 어느 빌라라는 것까지만 알지, 정확한 동 홋수를 모르니 쳐들어 갈 수도 없었다. 여하튼 왔다는 전화는 해야 하는 것이고 해서 그녀는 좁은 주차 공간에 간신히 차를 대고 그에게 전화를 걸었다.

그런데 마침 통화중으로 나왔고 이후 두 번이나 더 전화를 했지만 그는 여전히 통화 중이었다. 도대체 누구와 통화하길래...하다가 그녀는 문득 '여자'라는 생각이 들어 정말 희숙의 말대로 그에게 다른 여자라도 있는게 아닌가 하는 생각에 이르렀다. 그러자 손발이 저릿해왔다. 아니겠지 설마...하면서 그녀는 다시 전화를 하자 이번엔 곧바로 혁민이 전화를 받았다.

"왜..."

"내 전화 안 찍혀있어? 콜백도 안하고"

"그랬어? 못봤어...아,그랬구나"

"나, 자기 집 앞"

"어디라구?"

하더니 한동안 혁민은 아무 말이 없다. 왜 쳐들어왔느냐, 내 집은 보여주지 않겠다고 하지 않았느냐, 따위의 말도 않은 채 한참을 침묵하더니 "내려갈게"라고 말하고 전화를 끊었다. 이렇게 순순히 보여줄 걸 왜 여태, 라는 생각을 하며 은정은 차에서 내려 뒷자리의 음식 꾸러미를 꺼냈다.

그러고 있는데 벌써 내려온 혁민이 뒤에서 "뭘 그렇게 싸 와"라는 말을 건네왔다. 뒤를 돌아본 은정은 그날따라 혁민이 핼쑥하고 초췌해보인다는 느낌을 받았다.

"자기 무슨 일 있어?"

음식을 그의 손으로 넘기며 그녀가 물었다. 하지만 그는 아무 말도 없이 앞장을 섰다.

그의 집은 예상한대로 작고 허름했다. 하지만 남자 혼자 사는 집이라기엔 그 나름 정돈돼있고 주방도 깔끔하게 정리돼 있었다.

"집 좋다...깨끗하고"하면서 은정이 살짝 그에게 눈을 흘기자 은정이 싸 온 고기를 냉동실에 넣던 혁민이 어색해하였다.

"고기 넣지 말고 지금 구워먹자"라며 은정이 말하자 "그럴까?"라며 그가 다시 고기를 꺼냈다.

"왜 나한테 집 안 보여줬어 여태? 친구가 뭐라고 한 줄 알아? 당신이 다른 여자랑 살림 차려서라고 했어"

"그랬어?"하고 혁민이 히죽 웃었다.

"지금 웃음이 나와?"

"다신 오지 마라. 오늘이 마지막이야"

"뭐? 무슨 말이야?"

그녀는 고기 넣은 상추 쌈을 목 뒤로 넘기다 걸려버려 한참을 케케거렸다. 혁민이 건넨 물을 두 컵이나 들이붓고 나서야 고기는 밑으로 내려가는 느낌이었다.

"오늘 너랑 마지막이라고"

"혁민씨... 장난이지? 내가 여기 온 게 그렇게 잘못한 거야? 그럼 안 올게 이제. 이제 마트 앞으로만"

"아니, 이젠 너 안 봐"하더니 혁민은 먼저 수저를 내려놓고 저만치 방 대부분을 차지하고 있는 책상으로 가서는 노트북을 켰다.

"어제 밤 샜는데도 글이 안 나간다. 아까 편집장 여자랑 그 통화한 거고"

"자기 글 꼭 쓰지 않아도 돼. 쓰고 싶을 때만..."

"나한테 이래라 저래라 하지 마라. 우린 이제 아무 사이도 아니니까"

지금 이 상황이 도무지 이해가 안되는 은정은 지금 이 집에서 자신이 할 수 있는 일은 아무것도 없다는 생각을 하였다. 그리고는 한참을 , 노트북 자판을 두드려대는 혁민의 등만 쳐다봐야 했다....

한 30여분을 그렇게 은정의 존재를 무시한 채 글에만 몰두하던 그가 고개를 돌려 "가줄래? 나 좀 피곤한데? 자야겠어"라는 말을 하였다.

이 남자에게 이렇게 매정한 면이 있었나, 은정은 가슴이 쿵 내려앉았다.

"아니지? 나 다시 안본다는거?"

"난 한번 질리면 안 봐 다시는"이라며 그가 노트북 덮개를 닫으며 빨리 가라는 압력을 넣었다.

"내가 여기 온 게 그렇게 잘못이야?"

"뭐가 됐든...일단은 나 이렇게 사는 꼬라지 보여주고 싶지 않았고 그리고....그리고 너와는 어울리지 않는 공간이야 이 집은"

"무슨 뜻이야? 나랑 어울리지 않다는 건?" 하는데 그제야 사방 벽을 가득 메운 책들이 그녀의 눈을 사로잡았다. 그것은 일종의 철옹성이었다. 그 누구도 침범할 수 없는, 그래서도 안 되는 그만의, 혁민과 글만의, 아니 어쩌면 그와 같은 부류들만 출입을 허락하는 지극히 '배타적인 공간'이었다.

"그런 뜻이야? 지금 내가 생각하는?"

"어쩌면 너랑 살 수 있다고 생각했어"

"어쩌면, 이라고? 난, 우리가 결혼할 거라고.."

"그게 다른 거야 너랑 나랑은"

"그거였어...내가 부끄러웠던 거야. 자긴 가난해도 작간데 나는 옷이나 파는"

"...꼭 그런 얘긴 아니구"

"알았어. 이젠 안 와. 오라고 해도 안 와"하고 그녀는

그 남자의 방

그 집을 뛰쳐나와 4층 계단을 뛰어 내려 오다 발목을 접지르고 말았다. 웅크리고 앉아 한참을 자신의 발목을 주무르다 그녀가 시선을 위로 했을때, 너무나 낯설게, 처음 보는 얼굴로 위에서 멀거니 자신을 내려다보고 있는 혁민이 눈에 들어왔다. 더는 그에게 매달려도 소용 없다는 생각에 그녀는 나머지 계단을 절뚝이며 내려와 자기 차로 향했다. 물론 그녀를 배웅하는 혁민의 기척은 느껴지지 않았다.

"아무래도 집을 옮겨야 할거 같아. 너무 좁고 이 동네 공기도 넘 안좋고"라는 혁민의 전화가 걸려온 건 그로부터 일주일이 지난 어느 저녁이었다.

"우리 헤어지지 않았어?"

"돈은 빌려줄 수 있잖아. 갚을게 꼭"

"미친 자식"

"그러니 너랑 내가 맞지 않는 거야. 너 보면 ,생각나는대로 지껄이잖아. 상대가 상처 받는다는 생각은 안 하고"

아...저 세계, 저 남자의 방이란게 이런 거였구나 하고 은정은 가차 없이 전화를 끊었다. 그러자 갑자기 창

문이 덜컹거리는 소리가 들렸다. 그랬어. 비 예보, 강풍을 동반한 비가 온다고...

그녀는 발코니로 나가 창문을 활짝 열어젖혔다. 비가 뿌리기 시작했고 바람이 세게 불었다. 모든 게 정화되는 느낌이었다.

그 남자의 방

서진은 아예 메시지 창 배경 사진을 바꿔버렸다. 해인과 함께 경포대에서 찍은 사진을 지워버린 걸 보고 그녀는 비로소 이 관계가 끝났음을 스스로에게 각인시킨다.

거래처 지인으로 만나 3년 동안 연애를 하면서 둘이 잠자리를 같이 한건 연애 초기 몇번이 다였다.

그 얘기를 친한 친구들에게 털어놓으면 '너한테 끌리지 않는 거야. 끝내라'라는 충고 일색이었다. '남자는 끌리면 달려들지 그렇게 두고 보지 못한다'라고 얘기하는 친구도 있었다.

하지만 해인은 남녀 간에 꼭 '섹스'가 전부라고는 생각하지 않으려 했고 그래서 번번이 동침을 거부하는 서진을 이해하려고 노력하였다. 해인 자체도 그리 섹스에 연연하지 않아 어쩌다 하게 되면 하는 거지 하고는 가볍게 넘기려고 해왔다.

그러다 해인의 세가 만료돼 이제는 서진과 합칠 때가 됐다고 생각해 외곽에 방 세칸짜리 빌라를 융자 끼고

얻었다.

"내가 좀 보태줘야 하는데"

서진은 돈 한 푼 보태지 못하는 걸 미안해하면서 그렇게 내뱉었다.

"어차피 같이 살거, 누구 집이면 어때"라고 해인이 말하면

"그래, 니 집이다. 그 말인즉 난 언제라도 니 맘에 안들면 쫓겨날 수 있다는 얘기지"라며 불퉁하게 받곤 하였다.

작은 집이어도 어떻게든 서진의 방을 따로 내주고 싶어 그녀는 이런저런 궁리 끝에 자그만 침대와 책상을 놔주기로 하였다.

"침대는 철제로 하자. 그게 깔끔해"

"침대 놓으려고? 공간이 돼?"

"내가 알아서 할게"

연애 초기 몇 번의 잠자리를 하고 나서도 서진은 잠만은 홀로 편하게 자고 싶어 했다. 그걸 알기에 해인은 이번에 단단히 각오를 하고 이사를 한 것이다.

물론 안방엔 큰 침대를 놔서 둘이 같이 잘 수도 있었지만 '알뜰한' 서진만의 공간을 만들어주고 싶었다.

　둘이 연애를 한 지 반년 후에 해인의 회사가 지방으로 이전을 해서 그녀는 서진과 멀리 떨어진다는 게 내키지 않고 지방 살이에 자신도 없고 해서 사직을 하였다. 그리고는 퇴직금으로 작게 까페를 차렸다. 동네 장사여서 크게 남는 건 없어도 그렇다고 밑지는 것도 아니어서 그럭저럭 할만 했다...

　그러다, 서진의 동생이 교통사고를 냈고 그 합의금이 없어 쩔쩔매는 서진에게　해인은 있는 돈을 탈탈 털어주고는 잠시 아득했지만 어차피 같이 살 사람이라고 생각해서 내색을 하지 않았다. 그래선지 서진도 처음에 "갚을게" 한마디 하고는 그 얘기를 다시 꺼내지 않았다. 그 부분이 조금 아쉽긴 했어도 일부러 또 거론하기도 뭐한 일이라 돈 이야기는 그냥저냥 묻혔다.

　그 후로도 서진의 집에 악재가 겹쳤고 그러자 서진은 이젠 당연하다는 듯이 해인에게 손을 빌렸고 해인은 대출을 받아서까지 그 돈을 해주었다. 해인에게 서진은 이미 '남편'이었기 때문이다.

이삿날 서진은 월차를 내고 와서 짐이 다 들어온 다음 쓸고 닦고를 반복해서 해인은 '팁'이라며 돈 200을 서진에게 쥐어 주자 "니가 무슨 돈이 있어"라면서도 그는 마다하지 않고 그 돈을 반지갑에 쑤셔 넣었다. 그리고는 아이처럼 해맑게 웃던 그 모습을 보면서 해인은 조금은 착잡했지만, 그 정도의 대가는 지불해야 한다고 생각하였다.

이삿날 같이 꼬박 밤을 새고 서진은 다음 날 지친 몸으로 출근했고 그런 그가 걱정돼서 점심 무렵 해인이 그의 회사 앞으로 가서 또 점심을 냈다.

"이럴 필요 없어 . 우리가 남이니"

"자기 정말 고마웠어. 이번 이사 때 자기 없었으면..."

"별소릴"하면서 그는 만두 전골을 주문했다.

이제 이사도 왔고 서진의 방을 꾸미다 보니 해인은 이미 그와 결혼한 느낌이 들었다.

지금쯤 결혼이야기가 나올 만도 한데 여태 없는 게 내심 서운했지만, 언제 해도 하는 결혼이려니 하고 좀 더 기다리기로 하였다. 아니면 해인이 먼저 청혼을 하는 방법도 있었다.

"이게 내 방이야? 뭐할러 침대는 또...안방에서 같이 자면 되는데"

"자기 자는 건 편하게 자고 싶어 하잖아"

"건 그래" 하면서 서진은 정성스레 베딩된 침대 위에 앉아보았다.

"내일 책상도 와. 그리고 회전 의자도"

"돈 쓰지 마라. 안 그래도 이사하는데 내가 보탠 것도 없는데"

"자고 갈래 오늘?"

"다음에...기획안 써야 할게 있어.밤 새야 돼 오늘"

"그래..."

그렇게 서진은 갔고 이후 삼사일에 한 번씩 해인을 찾아 '자기 방'에서 자고 갔다.

한번은 해인이 새벽녘 슬그머니 그의 방에 들어가 침대 옆에 걸터 앉자 인기척을 느꼈는지 그가 벽을 보고 모로 돌아누웠다. 해인은 살며시 그의 얼굴을 쓰다듬었고 그러자 "가서 자 얼른"하며 은근히 그녀를 밀어내는 시늉을 하였다. 해인은 당연히 서운하였지만 내색을 않고 안방으로 와서 그 넓은 침대에서 혼자 잤다. 그리고는 꿈을 꿨다....

그 남자의 방

횡단보도를 같이 건너던 서진과 해인이 중간에 신호가 바뀌면서 서로 갈라지는.

눈을 뜬 해인은 후다닥 서진의 방으로 갔고 그는 코까지 골며 숙면에 빠져 있었다. 꿈일 뿐이야...

"결혼?"

"응...우리 하자 결혼"

"글쎄..."

글쎄,라는 말에 해인은 가슴이 쿵 하고 내려 앉는다. 자기 혼자 서진을 결혼 상대로 생각해왔다는 말인가 싶어 그녀는 조바심이 났다.

"우리 식은 나중에 올리고 그냥 합치자. 지금 자기 집도 좁고"

"뭐가 그렇게 급해...내가 자주 오면 되지"

이야기가 이렇게 꼬여버릴 걸 전혀 예상 못한 해인은 얼굴이 확확 달아올랐다..

"왜 요즘 안와? 바빠?"

"응...좀 그래...신규 사업 런칭하잖아. 그래서 바쁘다."

　"아, 그랬구나.."하고 해인은 주인 없는 서진의 방을 물끄러미 쳐다보다 돌아섰다.

　그 후로 서진은 거의 일주일, 열흘에 한 번, 마지못해 오는 사람처럼 밤늦게 와서는 해인이 차려주는 밥을 먹고는 그대로 자기 방으로 가서 냅다 자기 시작했다.

　해인은 기억을 곱씹어본다. 둘이 함께 잔 게 언젠지....

　속으로 쌓아만 두다가는 아무래도 사달이 날 거 같다. 해인은 다음 날 아침 토스트를 구우며 건성으로, 건성처럼 이야기를 꺼냈다.

　"난 이제 기억도 없어. 우리 같이 잔게 언젠지"

　"뭐?"

　"우리, 부부나 다름없잖아. 그래, 혼인신고야 나중에 해도, 난 자기랑 부부로 살고 싶어. 한집에서 같이 밥 먹고 자고 눈 뜨고"

　"..."

　"왜, 대답이 없어?"

　"넌 머릿 속에 섹스 뿐이니?"

"뭐?"

"지금 얘기가 그렇잖아"

"솔직히 말할 게...친구들이 그러는데, 남자가, 그것도 한창 나이의 남자가, 섹스를 기피하는 건 나한테 마음이"

"누구야? 누가 그랬어?"

"우리 초기엔 좀 잤잖아"

"바빠서 정신도 없고..자는 건 어림도 없어. 발기가 돼야지. 난 그른 거 같아"

그리고는 토스트를 입에 문 채 그는 현관문을 나섰다. 지금 나가면 차가 한산하나? 하면서.

이후로 서진으로부터는 연락이 없이 일주일, 이주일이 흘러 해인은 그의 텅 빈 방을 보다가 아무래도 매듭을 지어야겠다 생각하고 그를 오라고 하였다.

"급하면 니가 오지 왜 바쁜 사람 오라가라야"라며 그는 신경질을 냈고 그의 그런 반응에 해인은 할 말을 잃어버린다.

"많이 바빠?"

"왜? 전화로 얘기하면 안돼?"

"난 자기 방까지 꾸며놨는데"

"내가 하라고 했어? 니가 좋아 한 거지.."

"그런 말이 어딨어..우리, 같이 살 거 아냐?"

"나 바쁘다.."하고 그가 끊으려 해서

"할 말 있어"

"너한테 빌린 돈은 다 갚아. 시간 걸려도."

"그게 무슨 말이야"

"지금 너 돈 때문에 이러는 거잖아. 떼먹힐까봐"

"서진씨!"

"내가 내일 들를게"하고 그는 일방적으로 전화를 끊었다.

물론 그 다음 날 서진은 오지 않았고 그 다음 날도 그 다음 주에도 나타나지 않았다.

어떤 결론이라도 내야 한다는 생각에 그는 서진의 퇴근 시간에 맞춰 그의 회사 앞으로 갔다. 둘이 자주 보던 그 까페에 들어서려다 힐끔 그를 본듯하다.

"서진!"하고 그녀가 그에게로 가려는 순간, 그의 뒤를

74

그 남자의 방

따라 동료인듯한 여직원이 따라 나왔고 그녀는 서진에게 팔짱을 꼈고, 둘은 그렇게 저만치로 멀어져갔다..

　"우리, 이제 끝난거야?"
　"그런 말이 어딨어. 내일 갈게"
　"안 올 거잖아 너."
　"너?"
　"왜, 난 '너'라고 부름 안 되니? 개자식"
　"너 미쳤어!"
　이번엔 해인이 먼저 전화를 끊었다. 그리고는 침대에 우두커니 앉아 밤이 지나길 기다리다 동이 터올 무렵 결심을 굳히고 '서진의 방'으로 갔다.

　데이베드형 철제침대와 모던하고 심플한 데스크, 그리고 회전의자를 보며 해인은 그동안 자신의 어리석음을 개탄하면서도 이걸 중고 마켓에 내다 팔면 제법 돈이 된다는 생각이 들었다.　그리고는 가구 사진을 여러 각도에서 찍다 문득 서진의 메시지창 배경 사진이 궁금해 들어갔다. 경포대에서 다정하게　찍었던 그 사진을 마지막으로 보고 싶었다. 하지만 서진은 이미 해인의

75
그 남자의 방

흔적을 싹 따 지워버린 뒤였다.

"신부님 웃으세요"

해인은 보조개를 파며 살짝 웃어 보인다.

"신랑님은 어디 계세요? 빨리 오시라고"

사진사가 채근을 하는데, 그녀는 눈을 떴다.

마침 그날 친구 경미가 전화를 걸었고 연결이 안되자 불길한 마음에 해인의 집을 찾았다. 아무리 벨을 눌러도 대답이 없어 강제로 문을 따고 들어가서, 욕조 가득 물을 받아놓고 손목을 그은 해인을 발견한 뒤 경미는 119를 불렀다.

그 남자의 방

닫힌 문

동원은 한사코 지윤의 제안을 거절한다.

"야, 우리 나이에 뭘 합치니. 이렇게 가끔 만나서 같이 자고 여행 다니고 맛있는 거 먹으면 되지"

"난 자기랑 한집에서 부부로 살고 싶어. 혼인신고 굳이 안 해도"

동원은 15년전 상처한 사람이고 지윤은 남편의 가정폭력으로 신혼 때 아이도 없이 헤어진 여자였다.

"내 생각은 안 해? 자기야 애 낳고 살기까지 했지만 난 제대로 결혼생활을 해 본 적이 없잖아"

"그건 니가 감당할 몫이지"라며 동원은 더이상 이 얘기를 끌고 갈 의향이 없어보인다. 더 물고 늘어졌다간 또 사달이 날 거 같아 지윤은 그쯤에서 이야기를 접기로 한다.

하지만 동원과 헤어져 집으로 오는 내내 지윤의 머리는 혼란스럽기만 하다.

아무리 과거있는 사람들이 만났다 해도 아직 결혼해

도 될 나이고 어쩌면 둘만의 아이를 낳을 수도 있는 나인데도 동원은 한사코 합거를 거절한다는 게 아무래도 자신에 대한 '애정'의 문제가 아닌가 하는 생각이 든다.

이런 얘기를 가까운 친구 몇에게 하면 대뜸 "뭐할러 결혼해서 남자 수발을 들려고 해? 그 남자 말대로 해"라는 대답이 흘러나왔다. 하지만 지윤도 평범한 여자인지라 이른바 '남편의 그늘'을 느끼며 살고 싶은 건 어쩔 수가 없었다.

아무리 여권이 신장되고 여자들의 경제력과 권한이 상승됐다 해도 여전히 이 사회는 가부장적이어서 하다 못해 집안의 전등 하나를 교체하려 해도 집에 남자가 있냐 없냐에 따라 기사들의 행동이 다르다는걸 느낄 수 있었다. 꼭 그런 이유에서만은 아니더라도, 동원의 아이들이 아직 어리다거나 하면야 그럴 수 있지만 다들 스무 살이 넘은 성인인데 아직도 아이들을 내세워 '볼성사납게 무슨 재혼'운운하는 데는 당해낼 재간이 없었다.

그래서 지윤은 몇번인가 '헤어지자'는 말을 해보기도

했지만 '우리 나이엔 다 이러고 산다. 각자 살면서 가끔 보는 거지'라고 일축하기 십상이었다.

지윤은 그와 헤어져 집에 와서 불도 켜지 않고 어둠 속에서 곰곰히 생각에 잠겼다.

이대로 갈 것인가, 아니면 이쯤에서 정리하고 다른 사람을 찾을 것인가,등등의 사념들이 그녀를 어지럽게 만들었다. 그때 요란하게 컬러링이 울려댔다. 동원이었다. 정 안되면 헤어질 수도 있다는 생각을 하고 나서도 그의 전화, 그의 메시지를 받으면 영낙 없이 가슴이 두근거렸다.

"야, 같이 살고 안 살고가 뭐 그리 중요해. 서로 사람이 있다는 게 중요하지"라고 동원은 전화 너머에서 담담히 말했다.

"날 사랑하긴 해?"

"우리 나이가 몇인데 사랑 타령이야...그냥, 같이 가는 거지 동반자로"

그 '동반자'라는 개념이 지윤은 마땅치가 않았다.

"헤어져라. 그냥 사귀는 것도 아니고 니 돈 들어가면

서 왜 밑지는 짓을 해?"

오랜만에 만난 대학 동창 선규가 단칼에 둘의 관계를 정의했다.

"지금 니가 60이냐 70이냐...얼마든지 합쳐서 애도 낳고 살 수 있는데 그걸 싫다고 하는 놈은..."

하지만 선규는 말끝을 흐렸다. 괜한 오지랖이라는 생각이 들었을까?

"넌 어때? 넌 왜 혼자야" 애들 엄마랑 헤어진 지도"

"난 사람이 없다...마땅한 사람 있으면 당장이라도 재혼하려고 하는데 마음에 드는 사람이 없어"

"니가 눈이 높은 거지"

하며 둘은 오랜만에 대학 캠퍼스 근처의 호프집에서 술잔을 부딪쳤다.

돈...안그래도 돈이 문제였다.

언제부턴가 동원은 은근히 생활비 일부를 지윤에게 대라는 요구를 했다. 그는 예전에 제법 잘 나가는 소설가였지만 지금은 이따금 지방 강연이나 잡문을 기고해서 먹고 살다보니 사는게 팍팍할 수밖에 없었고 그렇다고 대학생 아이 둘이 그런 아비를 챙기는 것도 아니었

그 남자의 방

다.

비록 지방 송출 라디오여도 작가 수입이 웬만큼 되는지라 지윤은 '토'를 달지 않고 그가 아쉬워하면 또 때로는 그가 요구하지 않아도 일정액의 돈을 주곤 하였다.

"니가 돈줄을 끊어봐. 그래도 그놈이 너 좋다고 할지"라는 마지막 말을 남기고 동창 선규는 지하철 역으로 향했다...

문득, 선규는 배우자로 어떨까,라는 생각이 들었지만 지윤은 애정이란 게, 연애란 게, 물건 바꿔치듯 한다고 되는 것도 아니어서 머리를 내저었다. 술이 올라 운전을 할 수도 없어 택시를 잡은 그녀는 도중에 문득 동원이 보고 싶다는 생각이 들어 기사에게 행선지를 바꿔 달라고 하고는 동원의 동네 입구에서 내렸다.

가로등이 몇개 있지만 고장난 게 여럿이어서 어두컴컴한 골목을 걷다 보면 으스스한 기분이 드는 건 예나 지금이나 마찬가지였다.

"어? 니가 왜?"

빌라 입구에서 전화를 하자 동원은 뜻밖이라는 듯이 말을 했고 잠시 후에 폐가같은 빌라를 나와 지윤에게로 다가왔다.

"술 먹었구나?"

"응. 좀. 동창 만나서"

"사내 새끼겠지"하고 그가 불퉁해 하였다. 그런걸 보면 지윤에게 마음도 없이 돈만 가져가는 것 같지도 않다.

"나 사랑해?"

"야, 취했어. 가 그만"하고 그가 돌아서려 할 때 뒤에서 지윤이 그를 안았다.

"누가 보면 어쩌려구"

"난 이미 자기랑 결혼한 기분인데 자긴 아냐?"

"결혼은 무슨....그런 거 안 한다고 했잖아. 자유롭게 만나고 잠자고 여행 다니고 그렇게 살기로 한 거 아냐 우리?"

"난 아직 동의하지 않았어"라는 그녀의 말에 동원이 뜨악하게 그녀를 쳐다본다.

"그럼 우리 정리할까?"

그가 제법 심각하게 말하자 지윤의 가슴이 쿵 하고 내려앉는다.

"무슨 얘기야...어떻게 헤어져 우리가"

"그니까 다신 그런 얘기 하지 마. 알았지? 가봐 그만"

"가라구 이렇게?"

"그럼 애들 있는데 집에서 잘래?"

"못 잘 것도 없지...애들한테 내 얘긴 했구?"

"나중에...나중에 하지 뭐"라고 하고 그가 그녀를 잡고 걷는다. 이 사람과는 결론이 안 나는구나 싶다. 그렇게 그가 잡아준 택시에 지윤이 오를때 "돈 50만 부쳐라. 애들한테 쓸 건데 그게 없네"라며 토를 달았다.

택시가 달리는 동안 그에게 돈 50을 이체하고 나자 지윤은 허탈해졌다. 요즘 와서는 만날 때면 거의 매번 돈 얘기를 언급했기에 동원의 진심이 헷갈렸다. 선규의 말대로 돈이 건너가지 않아도 이 관계가 유지될까 싶어 혼란스러웠다. 그러는 동안 차는 지윤의 아파트 단지를 들어서고 있다.

"여행?"

"응...일박이라도 아님, 당일치기라도 바다 보고 오자"

"애처럼 바다는 무슨"하며 동원은 단박에 지윤의 청을 거절했다.

"그러지 말고 가을에 나 욕지도 낚시 갈 건데 그때 따라오든가"

"얼마나 가 있을 건데?"

"한 열흘?"

그 말에 지윤의 머릿속은 수백이 또 들게 생겼다는 생각뿐이다. 그리고 보니 언제부턴가 동원은 밥을 먹어도 커피를 마셔도 자기 돈을 내지 않은 게 떠올랐다. 모든 데이트 비용은 지윤이 대야 했고 그렇게 그를 만나고 난 다음엔 '내가 매달리는 건가?'라는 의혹에 휩싸여야 했다.

"가을에 욕지도 가더라도 동해 한번만 갔다오자"

"나 넘겨야 하는 칼럼 있어. 끊어"하고 그가 먼저 전화를 끊어버린다.

지윤의 소망이나 바람은 들은 척도 않고 동원은 자신의 의견만 내세운다. 그렇다면 설령 지윤의 소원대로 한집에서 살더라도 부딪칠 게 뻔하고 그러다 헤어질 수도 있다는 생각이 들었다.

"그거야 월차 내면 되지. 그놈이랑 헤어졌냐?"

일주일후 선규에게 동해를 다녀올 수 있겠냐는 말에

선규는 흔쾌히 응했다. 그리고는 정말 휴가를 내고 그녀를 동해에 데려다주었다.

"그놈이랑 헤어지면 나한테 오든가"라고 그가 밀려오는 파도를 보며 읊조렸다.

"미쳤어"라고 지윤이 배시시 웃자 선규는 머쓱해 하였다. 그리고는 자정이 넘어 다시 서울로 차를 몰았다.

"누구랑 갔다고?"

"동창....선규라고"

"사내놈이랑 여행을 다녀왔어?"

동원이 제법 발끈했다. 질투를 하는 걸 보면 마음이 영 없는 것도 아닌데...

"잤냐 둘이?"

"미쳤어? 그냥 친구야. 자기가 안 가니까 가자고 해본 거야"

"나 그렇게 통 큰 놈 아니다. 이번 한번이다. 알았어?"하고 동원은 자기가 한번 봐준다는 식으로 얘기를 매듭지었다.

그리고는 그날 밤 모 인터넷신문에 동원의 미학 칼럼

을 읽는데 지윤의 폰이 울렸다. 선규였다.

"나 실은, 너랑 자고 싶었어. 근데 아직 너 있잖아 누구"

라고 선규는 술이 좀 올랐는지 혀가 살짝 꼬여 말했다.

"나 그 사람 사랑해"

"알지...알았다. "하고 선규는 전화를 끊었다.

"아무래도 다 큰 애들이랑 셋이 살기엔 이 집이 넘좁아. 니가 좀 도와줘야겠다"

"당신이 내 집으로 들어오고 애들끼리 살라고 하면되잖아?"

"지 엄마 일찍 가서 나 혼자 키운 놈들이야"

"당신 애들 다 컸어"

"시집 장가갈 때 까진 내가 케어할거야"

그 말에 지윤은 아득해진다. 사별자에게 자식의 존재는 '신'과 같다는 글을 읽긴 했지만 이 정도면 거의 병적이라 여겨졌다. 그런데 문제는, 그걸 넘어 더 큰 집으로 세를 옮길 비용을 대라는 게 문제였다.

이게 맞는 건가, 지윤은 밤새 고민을 하였다. 아무래

도 대출을 받아 해줘야 할텐데 그게 과연 옳은 일일까, 끝내 결론이 나질 않는다.

"작게라도 거실 따로 나온 방 두 칸짜리 세가 괜찮게 나왔다"는 문자를 동원으로부터 받은 건 그로부터 사흘 후였다. 빨리 돈을 부치라는 얘기였다. 이럴 때 속사정을 털어놓을 누군가가 있으면 얼마나 좋을까, 하는데 마침 선규의 전화가 걸려왔다

"저녁 같이 먹자구"

"할 얘기가 있어. 좀 만날래?"

동원의 이사 이야기를 하자 선규는 잔뜩 화를 냈다.

"그놈, 니 돈 보고 만나는 거 모르니? 돈 끊어봐. 그래도 만나는지"

"그런 걸까? "

그러는데 갑자기 지윤의 아랫배가 꼬이는 느낌이 든다. 며칠 전 갑자기 회가 먹고 싶어 집 앞 수산물 가게에서 모둠회를 사다 먹은 게 탈이 난 듯하다. 화장실 좀...하고 그녀가 레스토랑 화장실을 다녀오자 선규가 굳은 얼굴이 돼 있다.

"왜?"하고 그녀가 자기 물을 한모금 들이키자

"이제 끝났어 그놈이랑"

"뭐?"

"내가 니 폰으로 연락했다. 결혼할 사람이라고"

"!..."

"그래, 널 위해서라기보다 니가 좋아서 한 짓이라는 말이 더 맞을 거야"

"그런 법이 어딨어! 그 사람 내가 사랑하는 사람이야!"하는데 눈물이 지윤의 뺨을 타고 흘러내렸다. 그리고는 레스토랑을 뛰쳐나와 택시를 잡아타고 동원의 동네로 가는 내내 그녀는 계속 울어댔다. 그런 그녀를 초로의 운전기사가 룸미러로 힐끔거렸다...

"너 양다리였니?"

아무 말 없이 담배 한대를 다 피운 뒤 발로 눌러 끄며 동원이 내뱉었다.

"그런거 아니고"

"몰랐어..꽤나 순정적이라고 생각했거든.."

"그런 게 아냐. 걔는 그냥"

"됐고, 갚을테니 돈이나 부쳐"

"!...."

"나 이사한다니까?"

"우리...끝난 거야 이렇게?"

"끝은 니가 냈잖아. 돈이나 줘"하고 그가 자기 손을 내밀었다.

"...끝났다면 더는 이러면 안되잖아"

"그럼 카드라도 한 장 주든가. 나도 먹고는 살아야지" 라며 그가 내민 손을 위아래로 흔들며 재촉을 하였다..

"어떻게 이럴 수가 있어?"

"니가 뭐 특별해서 사귄줄 알어?"하는 동원의 눈빛이 그날만큼 낯설게 느껴진 적이 없었다.

동원과 어떻게 헤어졌는지도 모르게 어느새 자기집 현관 앞에 도착한 지윤은 도어락 비번이 생각나질 않았다. 한참을 헤매는데 문자 알람이 울렸다. 선규였다.

"미안. 내가 오지랖을 넘 부린 거 같다. 둘이 잘 되길 바란다"라는...

순간 화가 솟구친 지윤이 곧바로 전화를 걸었다. 벨이 한참 울리고 나서야 선규가 전화를 받았다. 지윤은

"너도 지겨워. 니들 다 똑같아!" 라고 퍼부었다. 그리고는 열리지 않는 문에 기대 한참을 앉아 있었다...그러

자 동원과 목포에 갔던 날이 떠올랐다 . 둘의 처음 여행이었다....그래, 가을에 갔었지 더위가 막 가실 무렵...하고는 일어나 도어락 0914를 입력하자 딸깍 작동음이 들렸다. 그리고는 잠시 후 그녀가 들어간 뒤l 둔탁한 소리를 내며 철문은 다시 닫혔다.

내 마음의 도둑

세균은 사흘을 잠잠하더니 오늘 또 향기의 신용카드를 그었다. 분명 헤어져 놓고 그녀의 카드를 쓰는 의도, 의중은 뭘까 향기는 혼란에 빠진다.

작가와 담당 기자로 만나 동행 취재를 간 것이 계기가 돼서 서로 연인이 되었지만 3년의 시간이 무색하게 세균의 태도는 늘 애매했다. 그래서 향기는 참다 참다 못해 '누구 딴 사람 있어?'라고 묻기도 했지만 그럴 때면 그는 불쾌한 표정만 지을뿐 가타부타 말이 없었다.

그의 책이 한동안 잘 나가 출판사에서도 특별관리 작가로 대우했지만 단 한 권이 그랬을 뿐, 이후로는 이렇다 할 주목을 받지 못해 결국, 마지막으로 들고 온 원고는 반려 처리되었다.

"난 이제 끝났어. 작가도 아냐"라며 그가 낮술을 퍼마실 때 향기는 아무 할 말이 없었다. 출판계에서는 이미 '퇴물 작가'로 낙인 찍히다시피 한 얘기를 어떻게 한단 말인가.

그렇게 다시 무명의 늪으로 떨어진 후 세균은 아예

글쓰기를 포기한 사람처럼 지냈다. 그러다 간간이 충동적으로 지방언론에 뜬금없는 미술평론이나 시정칼럼 등을 기고해 용돈 벌이 정도를 하곤 했지만 그 마저도 언제부턴가는 채택되지 않아 허구한 날 술담배로 지내기가 일쑤였고 그런 그가 안쓰러워 향기는 자신의 신용카드 하나를 건네며 '꼭 필요할 때 써'라고 했다. 그러자 그는 손사래를 치며 '귀찮아...없으면 없는대로 사는 거지'라면서도 슬쩍 그 카드를 받아 주머니에 넣고는 이후로 시도 때도 없이 긁어대기 시작했다.

어떤날은 하루에 먹거리, 아울렛 의류 등을 사들여 수십을 쓰기도 해서 향기는 얼마 안되는 자신의 월급으로는 충당이 되지 않아 어쩔 수 없이 싫은 소리를 해야했다. 그러자 그는 발끈 화를 내며 '카드 돌려줘?'라며 악을 썼고 그렇게 둘은 처음 헤어졌다. 하지만 이틀째 되던 날, 세균은 다시 그녀의 카드를 긁었고 향기는 그것을 '재결합'의 시그널로 받아들여 그에게 연락해 둘은 다시 이어졌다. 그리고는 동해 여행까지 다녀왔다...

하지만 세균은 이후로도 이렇다 할 작품을 쓰지 못했다. 아니, 글을 쓴다는 것에 대한 흥미를 아주 잃어버린 사람처럼 지냈다. 향기가 직접 만나 건네는 현금은 그 다음 날이면 뭐에 썼는지 다 써버리고는 '돈없이 사느니 죽는 게 낫다'라는 말을 입에 달고 살았다.

"한도좀 올렸어. 굶지는 말아"라며 향기가 카드 한도를 증액해서 알리자 "쓸데없이"라고 해놓고는 현금서비스로 한번에 100을 인출하기도 했다.

향기의 대학동창 민서는 이 얘기를 듣자마자 '그거 가스라이팅이잖아. 당장 끊고 카드도 막아. 아님 경찰에 신고한다고 해'라며 입에 거품을 물었지만 향기는 차마 그건 할수가 없었다. 그래도 자신에게 정이 있으니 자신의 재산도 나눠 쓰는 게 아닐까 하는 미련이라면 미련이 남았기 때문이다.

"자기야, 알바좀 안 할래?"

"뭔데?"

"동료 하나가 나가서 1인출판 차렸는데 교정, 윤문 외주할 사람을 찾는대" 라는 향기의 제안에 세균은 한참을 침묵하더니

"야, 너 나 우습게 봐? 놀고 있으니 더 이상 작가로

보이지도 않지?"라며 그는 전화를 끊어버렸다.

그 외주 비용만 정기적으로 받아도 향기에게서 가져가는 돈이 줄텐데 그는 한사코 싫다는 것이었다. 한마디로 일체 '노동의 의지 '가 없었다.

"나 월세로 돌렸다"라며 한밤중에 걸려온 세균의 전화에 향기는 무슨 말인가를 알 수 없었다

"갑자기 월세는 왜?"

"세희가 시집을 간단다. 하나뿐인 오라빈데 그냥 있을 수가 있어야지"

즉 그 말은 지방 사는 여동생 혼수비용으로 자신의 전세 보증금을 뺐다는 얘기였다.

그 말에 향기는 불쑥 화가 치밀었다.

"처지에 맞게 하면 되는걸"

"너 지금 나 돈 없다고 무시하는 거냐?"

"...미안...그런게 아니고"

향기는 알고 있다. 그 후 일체 그의 생계비가 자신의 몫으로 돌아온다는 걸....

마지막 보루였던 전세금마저 빼버렸으니 그의 수중엔 정말 돈 한푼 있을 리가 없었다.

"엄마 돌아가셨을때 와서 50 낸 친구야. 그러니 나도 최소한 "

이라며 어느 날은 경조사비를 요구한 적도 있다.

받은 게 있으니 그만큼 돌려주는 건 맞지만 향기도 엄두가 안 나는 금액이어서 정말 그 친구라는 사람이 50을 냈는지, 아니면 돈이 아쉬워 세균이 지어낸 얘긴지 혼란스럽기까지 했다.

"우리 이렇겐 안 되겠어"

"끝내자구? 꼴랑 몇 푼 대주면서 유세하드니...이럴줄 알았다"라며 그가 남들 의식 않고 까페에서 담뱃불을 당겼다. 그걸 본 직원이 놀라서 달려왔고 불붙인 담배를 발로 눌러 끈 그는 쌩하니 까페를 나가버렸다. 지금 따라나가지 않으면 이대로 끝나는 거겠지,하자 향기의 마음이 헛헛해왔다. 하지만 언제까지나 그를 먹여 살릴 수도 없고 이미 그로 인해 받은 대출금도 만만찮아서 그녀는 이를 악물고 그를 따라가지 않았다.

그리고는 그날 밤새 울었다. 지난 3년간 세균과 함께 했던 날들이 주마등처럼 스쳐갔다. 아름다웠던 기억뿐 아니라 그녀를 아프게 했던 일들까지 그녀의 가슴을 강

타했다...하지만 독하게 마음을 먹기로 한 그녀는 일절 그에게 연락을 하지 않았다.

 작가 s의 원고를 읽던 그녀의 귀에 문자 알림이 들려 왔다. 카드 사용 문자였다. 세균이 며칠간의 침묵을 깨고 그녀의 카드를 또 그은 것이다. 우린 이렇게 또 이어지는구나...

 그날 저녁, 그녀는 세균의 집으로 차를 몰았고 둘은 같이 밤을 보냈다.

 하지만 그의 씀씀이는 나날이 늘어만 갔고 우연찮게 본 그의 문자창에서 묘령의 여자와 나눈 달콤한 대화들 을 본 뒤에 그녀는 다시 이별을 고했다..

 "야, 걘 내 초등동창이야. 너, 나 돈 주기 싫으니까 별 트집을 다 잡네"

 "그렇게 말하면 안되는 거잖아"

 "그래 끝내. 어차피 나 미래도 없는 놈이고 가진 것 도 없고....이젠 가공의 여자까지 만들어내서 니 돈을 안쓰겠다는건데 , 카드 돌려주랴?"

 그 말에 향기는 자신도 모르게 한 손이 그에게로 향

했다.

"정말 달라고 ? 카드 줘?" 그도 적잖이 당황하는 눈치였다.

"돌려줘 이젠. 우리 이렇게 끝났잖아 다시"

그런 그녀를 한참 쏘아보던 세균은 까페를 나가버렸다.

손까지 내밀었으니 이젠 완전히 끝났다는 생각에 그녀는 간신히 운전해서 자신의 집으로 돌아왔다. 그리고는 그날밤 열이 올라 해열제를 먹고는 간신히 잠이 들었다....

세균만의 컬러링이 울린건 날이 밝아올 때 쯤이었다.

"너 진심이야? 이제 카드 돌려줘?"

"...응"

"아주 작정을 했구나. 그럼 막아버려. 아님 재발급 받음 어차피 이건 폐기되는데...몰랐냐?"

모르고 있었던건 아니었지만 향기는 차마 그 짓을 할수가 없었다.

"내 카드 계속 가지고 있을 거라는 건, 우리가 계속 이어진다는 거지?"

"나 피곤해...지금 아무 말도 하기 싫어. 막든 말든 맘대로 해!"라며 그는 거칠게 전화를 끊어버렸다.

그리고는 사흘 후 다시 그 카드사용 문자가 날아온것이다.

그가 이 줄을 여전히 잡고 있다는 생각과, 그저 카드가 필요할 뿐이라는 생각 사이에서 갈팡거리던 그녀는 마지막이라는 생각을 하고 세균을 불러냈다.

"얼굴이 왜 그래? "

"나야 뭐, 없이 사니 이런게 당연하지.."

"우리, 어떻게 되는 거야?"

그 말에 그는 짜증스런 표정이 됐다.

"니가 뭐든 맘대로 하잖아. 언제는 내 의사 물었어? 지가 좋으면 달려오고 돈 아까우면 헤어지고, 니가 다 했잖아"

"진심이야. 우리, 다시 잘 해보자"

"니 맘대로 하세요" 하고는 커피를 다 마시고 일어섰다.

"나오기 전에 카드는 막았어"라는 향기의 말에 그가 멈칫했다. 향기는 이어서 되돌아올 그의 타박과 원망을 감수하리라 마음먹었지만 그는 아무 말 없이 까페 유리

문을 밀고 거리로 나가버렸다....

　그는 일주일째 향기의 카드를 쓰지 않고 있다.

　정말 카드가 막혔다고 믿는 걸까...

　하지만 이 관계를 계속 끌고 갈 수도 없는 처지여서 향기는 독하게 그 일주일을 버렸다...

　그리고는 그 다음날 점심 무렵, 카드 사용문자가 날아왔다.

　"c 순댓국 12000"

　그가 아직도 자신을 놓지 않았다는 생각과, 자신을 조롱한다는 생각 사이에서 그녀는 방금 먹은 국밥이 얹혀서 약국에 들러 소화제를 먹기까지 하였다. 그리고는 회사로 들어가는데,

　"전향기!"라고 부르는 세균의 소리가 들렸다.

　그녀가 고개를 돌리자 횡단보도 건너편에서 세균이 손을 흔들며 환하게 웃고 서있었다.

　신호는 이내 보행신호로 바뀌고 세균은 그녀가 건너오길 기다리는 듯했다.

　하지만 보도에 한 발을 내딛던 향기를 무언가 붙드는 듯했다.

사랑일까? 폭력일까? 그녀는 도저히 알 수가 없었다. 그렇게 그녀가 뜸을 들이는 동안 신호는 다시 바뀌었고 커다란 트럭 한 대가 둘을 가로막으며 서서히 지나갔다. 그러고 나자 건너편에 세균은 없었다... 이번엔 확실히 행동으로 보여줬다는 생각에 향기는 안도감과 슬픔을 동시에 느꼈다...

띵동!
그 순간이었다. 회사로 들어서는데 카드 사용 문자가 또 날아왔다.

그 남자의 방

발 행 | 2024.9.10
저 자 | 박순영
펴낸이 | 로맹
펴낸곳 | 로맹
출판사 등록 | 2023.12.14
주 소 | 경기도 파주시 탄현면 하늘소로 16
이메일 | jill99@daum.net

ISBN | 979-11-93896-17-4
정가 | 11000원
www.romainpublish.modoo.at

그 남자의 방